会話の授業を楽しくする
コミュニケーションのための
クラス活動40
初級後半から上級の日本語クラス対象

石黒圭=編著
安部達雄・新城直樹・有田佳代子・植松容子・
渋谷実希・志村ゆかり・筒井千絵=著

スリーエーネットワーク

© 2011 by ISHIGURO Kei, ABE Tatsuo, ARASHIRO Naoki, ARITA Kayoko, UEMATSU Yoko, SHIBUYA Miki, SHIMURA Yukari, and TSUTSUI Chie

All rights reserved. No part of this publication may be reproduced, stored in a retrieval system or transmitted in any form or by any means, electronic, mechanical, photocopying, recording, or otherwise, without the prior written permission of the Publisher.

Published by 3A Corporation.
Trusty Kojimachi Bldg., 2F, 4, Kojimachi 3-Chome, Chiyoda-ku, Tokyo 102-0083, Japan

ISBN978-4-88319-580-0 C0081

First published 2011
Printed in Japan

はじめに

会話の授業って何をやればいいの？

　日本語学校の専任教員として勤めはじめたAさんは、教務主任から、「受験準備は今学期で終わりだ。つぎの学期は、実際の場面で役立つ会話の授業でも、やってもらえないかな。」と言われました。「会話の授業でも」と軽く言われたものの、Aさんは、まったく経験のない会話の授業を持たなければならず、何をやってよいか、途方に暮れています。

　国内の大学の留学生別科に非常勤講師として勤めるBさんは、コーディネーターの専任教員から、「今学期から留学生が増えて、中級の会話の授業を新設することになりました。ひとつよろしくお願いします。」と言われました。「ひとつよろしく」と言われても、学生のニーズも、カリキュラム全体での位置づけもはっきりせず、どう準備してよいかわかりません。Bさんは新学期をまえに、ストレスの溜まる日々を過ごしています。

　日本語教育専攻の大学院を修了し、今年から初めて海外の大学で教えることになったCさんは、赴任先の大学の様子がわからないのが悩みです。ネイティブ・スピーカーであることを期待されてか、「作文と会話の授業を担当するように」という連絡だけは届いたのですが、学生の人数もレベルもわかりませんし、スーツケースに忍ばせられる本の冊数も限られています。問い合わせても返事は来ませんし、現地には頼れる人もいません。出発の日まで1週間を切り、どの本を選んで持っていったらよいか焦るばかりです。

　本書は、Aさん、Bさん、Cさんのような、会話の授業でストレスを抱える日本語教師の悩みを解決する目的で書かれた授業活動集です。

会話の授業は楽しい

　会話の授業は、やってみるまでは大変そうなのですが、やってみるとこれほど楽しい授業はありません。日本語教育の教室が並ぶ廊下を歩くとわかりますが、外まで笑い声が響いてくる授業は、たいていが会話の授業です。編者の勤務先である一橋大学もその例外ではなく、会話の教室は賑やかな声と明るい笑顔が絶えません。私自身は会話の授業はもとより、そもそも会話自体が苦手です。そこで、一橋大学で会話の授業を担当していた教員たちに声をかけ、教室活動を楽しくする授業アイデアの情報を交換、共有することにしました。それが本書出版のきっかけです。

　経験のある教師は、これをやれば確実に盛りあがるという「鉄板」の授業を持っているものです。本書を刊行までの2年間、執筆者たちは現場で試行を重ね、本書に収録された授業をたがいにやってみました。すると、誰が担当してもほとんど失敗しない授業があることがわかってきました。そうした「鉄板」の授業をいくつか持っていると、会話の授業を担当する恐怖心がなくなり、授業をとおして学習者との関係も深まります。本書には、教室活動ですぐに使えるそうした「鉄板」の授業がつまっています。Aさんも、Bさんも、Cさんも、

そして読者の日本語教師のみなさんも、本書に収録された活動の数々をぜひ実際の会話の授業で試してみてください。

万能の会話教材はない

　しかし、「鉄板」の授業であっても、かならずしもうまくいかないこともあります。教師も人間、学習者も人間、授業は生物だからです。

　教師自身の性格や経験、学習者の好みや背景、さらにはクラス全体の雰囲気から、やりやすい授業とやりにくい授業が存在することはたしかです。ロールプレイが大好きな教師もいるでしょうし、好きになれない教師もいるでしょう。恋愛の話題で盛りあがれるクラスもあるでしょうし、避けたほうが無難なクラスも、地域によっては宗教上の理由で恋愛の話題がタブーのクラスもあるでしょう。

　本書が総勢8名の執筆者をそろえ、多岐にわたる40の活動を準備したのには理由があります。多様な教師、多様な学習者、多様な場面に対応するためです。本書は、すべての活動を順にやることは想定しておらず、どの授業をやるかは教師の判断に任されています。「鉄板」の授業を作りあげるのは教師自身の個性であり、「鉄板」の授業を安定して続けるためには、学習者の個性やクラスの雰囲気を敏感に感じとり、それに合わせて調整する能力が欠かせません。

　本書は、経験の浅い教師の方を対象に書かれているので、ベテランの教師の方にとっては少しうるさいところがあるかもしれません。自信がついてきたら、方法や手順を自分なりにアレンジして、どうぞご自身の「鉄板」の授業へと作りかえていってください。

　会話の授業にレディーメイドは似合いません。いつも、学習者のニーズに職人の教師が応えるオーダーメイドなのです。

2011年9月　編者

本書の特徴

本書の三つの特徴

　「はじめに」では「会話」の授業と申しましたが、本書は、大勢のまえで話す発表など、話し言葉全般を扱いますので、以降では「会話」を「口頭表現」と呼ぶことにします。

　本書は、日本語学習者のコミュニケーション能力の養成を目的とした、日本語教師のための口頭表現教育の教室活動集です。コミュニケーション能力を養成するという目的を達成するために、本書は、①「日本語を教えない」、②「言わないことは教えない」、③「ストラテジーを可視化する」を3本柱としています。以下で、順に説明します。

日本語を教えない

　①「日本語を教えない」というのは、言葉の形よりも言う内容を重視するということです。もしあなたが、口頭表現教育を、会話によく出てくる文型を取りだして教える教育だと思っているなら、本書の使用を機に、ぜひその認識を再考してください。自分の言いたいことを相手に適切に伝え、また相手の言っている意図を的確に理解し、たがいに調整する力、つまりコミュニケーション能力の育成が、本書の口頭表現教育の目的です。

　日本語を教えないというのは極論かもしれません。必要に応じて、学習者の言いたいことに合った文型を教えることは大切なことですし、事実、本書でも部分的に導入しています。しかし、学習者の言いたいことを考慮せず、教師が先回りして文型を取りだして教えることは、コミュニケーション教育では有害無益です。学習者の言いたいことが定まってから、それをどのように表現するかを問題にするのが、望ましい手順です。

　なお、本書は、日本語の形にこだわらず、コミュニケーションが活発になる活動を取りあげているので、日本語教育の教室以外でも、中学・高校などの国語教育や英語教育、さらには大学1・2年生の初年次教育でも使うことが可能です。今後は、さらにキャンパスの国際化が進み、留学生と日本人学生という区別は相対化されるでしょう。異文化間理解教育におけるコミュニケーション能力育成ツールとして本書をご活用ください。

言わないことは教えない

　②「言わないことは教えない」というのは、学習者が言いたいことだけを話し、教師の側から学習者に言うべきことを押しつけないということです。

　教師自身の外国語学習経験に照らしても、自分がまず口にしないようなことを一生懸命覚えさせられた経験を持つ人も少なくないでしょう。そうした作業は学習者にとって苦痛ですし、授業にたいする学習者の信頼感も損ねます。

　もちろん、学習者によっては、教師に教わることをそのまま吸収することが日本語学習だと思いこんでいるケースもあります。しかし、そうした授業は、教室活動自体が自己目的化

しており、学習者が真のコミュニケーション能力を育む妨げになりがちです。

　また、日本人のように話したいと考える学習者が多いクラスも、教師が教えすぎる結果を招きがちです。発音や文法を正確なものにしたいという学習者の向上心は貴重ですが、話す内容まで日本人らしくしたいという誘惑にたいし、教師は自制心が必要です。

　コミュニケーション能力育成で大切なことは「日本人らしい話し方」ではなく「自分らしい話し方」です。本書は、学習者自身が言いたいことを自由に選んで言える環境を整えることが、口頭表現の授業のあるべき姿だと考えています。学習者自身の関心や好みに合った日本語力を身につけられるように教師は心を砕いてください。

ストラテジーを可視化する

　③「ストラテジーを可視化する」というのは、口頭表現を教室のなかで学習するという利点を最大限活用し、どう伝えるかという表現法を仲間と検討し共有することです。

　現実の場面では、自分の発話がどのように相手に受け止められるかわかりません。自分の発話が相手に失礼なものでも、相手はそれを直接注意することはないでしょう。しかし、教室なら、自分の発話を俎上に載せて検討することが可能です。教室は、学習者一人ひとりが自己の発話をモニターする場なのです。

　教室のもう一つの利点は、クラスの友人の発話を活用できる点です。コミュニケーションには唯一の正解はありません。一つの目的を達成するのにも、いろいろな言い方があるからです。学習者が友人の発話を聞いて自分の発話よりもよい言い方だと感じた場合、それをまねることが可能です。芸術の世界では模倣は創作の始まりと言われますが、それはコミュニケーションの世界でも当てはまります。

　コミュニケーション能力の育成を重視する教室では、教師はファシリテーターに徹することが肝要です。学習者の自由な発想に教師が目を開かされる場面もしばしばあるでしょう。本書は、学習者も教師も対等な立場で学びあえる教室を目指しています。

本書の構成と使い方

全体の構成

　既述のとおり、本書は、コミュニケーション能力の養成をその中心に据えています。そのために、本書では、コミュニケーションを、つぎの四つの段階に分けて考えています。

　　①自分の言いたいことを、自分の言葉で伝える
　　②自分の言いたいことを、聞き手を意識して調整して伝える
　　③自分の言いたいことを、内容を整理して説得的に伝える
　　④自分の言いたいことを、聞き手の感情に配慮して伝える

　①は、自分の言いたいことを日本語で表現できるようになる段階です。日本語で考えて話すことに慣れていない段階では、臆することなく日本語を口に出してみることが重要です。ここでは、与えられた材料についてともかく話すという活動が中心になります。

　②は、日本語で話すことに少しずつ慣れ、聞き手の反応にも意識を向けられるようになる段階です。聞き手との相互作用に意識が向かうようになると、いわゆる言葉のキャッチボールが自然にできるようになります。ここでは、対話が活動の中心になります。

　③は、目的を明確に持って、あるまとまった内容を整理して、かつ説得的に話せることを目指す段階です。一方向的に話す独話は、双方向的な対話と違った技術が必要です。ここでは、プレゼン力をみがく活動が中心になります。

　④は、聞き手の理解にくわえ、聞き手の印象や感情にまで配慮できるようになる、もっとも高度な段階です。この段階では、相手の心理状態をモニターしつつ「どう」言うかに心血を注ぐ必要があります。ここでは、レトリック意識の強い活動が中心となります。

　①は第1部、②は第2部、③は第3部、④は第4部でそれぞれ扱います。各部はそれぞれ5課からなり、各課は基本活動と応用活動に分かれており、本書全体で40の活動があります。各活動の詳細は、このあとの目次を参照してください。

各課の構成と使い方

　各課の最初のページには、「概要」、「目的」、「レベル」、「時間」、「人数」、「準備」といった情報が入っています。

　「概要」、「目的」は活動の核となる情報で、目次よりも詳しい内容が載っています。活動選びの参考にしてください。

　「レベル」、「時間」、「人数」はあくまで目安です。「レベル」はかならずしもそのレベル限定というわけではなく、教師の力量やクラスの雰囲気によっては、それ以外のレベルでも使うことが可能です。2度、3度と繰り返し教室で教え、使えるメドが立ったら、内容を微調整して他のレベルにもお使いください。

　また、「時間」は、私たちが試行した範囲では、教師の個性やクラスのサイズによってかな

り異なることがわかっています。示されている時間は早めに授業を進めた場合の短めの時間だとお考えください。

「人数」も、クラス全体で一つの活動が共有できる場合と、複数のグループに分けて同時並行で進める場合とではクラスの雰囲気は大きく変わりますので、ご注意ください。

各活動の説明は、基本（応用）活動の手順、基本（応用）活動の実際、基本（応用）活動ワークシートの三つに分かれています。

「基本（応用）活動の手順」は表になっていて、左の列が、段階を追った活動の進行を示す「進め方」、右の列が、活動を進めるうえで気をつけるべき「留意点」です。「進め方」と「留意点」は対応するようになっています。

「基本（応用）活動の実際」は、授業を実際にやってみるとどうなるか、活動の雰囲気がイメージできるように可視化した部分です。実際のクラスを思い浮かべて、頭のなかで授業のシミュレーションをしてください。また、教室活動を活性化させるさいのヒントにしてください。

「基本（応用）活動ワークシート」は、学習者に配付するシートのひな型です。

各課の終わりには「コラム」がついています。各課を作る理論的背景となった内容が簡単に紹介されています。教室活動のさいの参考にしてください。

さらに深い理解を望まれる向きは、巻末の参考文献をお読みになり、ご自身の視野を広げてください。

目　次

はじめに ……………………………………………………………………………… 3

本書の特徴 …………………………………………………………………………… 5

本書の構成と使い方 ………………………………………………………………… 7

課のタイトル	活動の目的 基本活動の内容とレベル 応用活動の内容とレベル
第1部　ともかく話す：自分の言いたいことを、自分の言葉で伝える	
第1課 おしゃべりの引き出し　12	目的：自分にかんする多様な話題について日本語で話すことに慣れる 基本活動：ブレインマップを使い、あるテーマについて話す（初級後） 応用活動：カードに書かれたトピックについて即興で話す（中級前）
第2課 個性的な自己紹介　25	目的：少ない語彙でも自分のことを説明できるようになる 基本活動：実物を使って、自分のことを自分らしく説明する（初級後） 応用活動：グループのメンバーに共通することを紹介する（中級前）
第3課 私の自慢　36	目的：「どれくらい」という程度を具体的かつ魅力的に語る 基本活動：あるモノのよさを取りあげ、具体的に語る（初級後） 応用活動：自分自身のすばらしさを魅力的に演出する（中級前）
第4課 雑談力をみがく　46	目的：雑談の場で、自分から会話を始め、会話をリードする 基本活動：初対面に近い人に、適切に質問する技術をみがく（中級前） 応用活動：適切なときに話題を転換し終了する技術をみがく（中級後）
第5課 チームで協力！　57	目的：自己の役割を明確に持って、議論の場に参加する 基本活動：ミステリー小説を題材に協力して読み、推理する（中級後） 応用活動：意見文を協力して読み、話し合い、意見をまとめる（上級前）

第2部　聞き手を意識：自分の言いたいことを、聞き手を意識して調整して伝える	
第1課 ウソを見破れ！ 73	目的：聞き手の理解を想定して情報を取捨選択して話す 基本活動：話し手の話に含まれているウソを見破る（初級後） 応用活動：事実を誇張したウソを交え自己をアピールする（中級前）
第2課 話し方とキャラクター 83	目的：コミュニケーションのタイプを知りそれに合った話し方をする 基本活動：コミュニケーションにおける自分のタイプを知る（初級後） 応用活動：相手のタイプに合わせた話し方を考えて実践する（中級前）
第3課 偶然について話す 94	目的：情報を取捨選択し、関連づけてわかりやすく話す方法を学ぶ 基本活動：偶然の出来事をその偶然さが伝わるように話す（中級前） 応用活動：自分に影響を与えた偶然の出来事について話す（中級後）
第4課 コメント力をきたえる 104	目的：たがいにコメントしあいながら作文の表現や内容を改善する 基本活動：ペアで質疑応答しながらたがいの作文を添削する（中級前） 応用活動：グループで質疑応答しながら作文を添削する（中級後）
第5課 上手な意見の伝え方 115	目的：他者との交渉をとおして自分の考えやその伝え方を見つめなおす 基本活動：物語の解釈についてグループ内で考えを伝えあう（中級後） 応用活動：グループを変え対話を重ねながら考えを深める（上級前）
第3部　内容を整理：自分の言いたいことを、内容を整理して説得的に伝える	
第1課 説明のコツ 128	目的：聞き手の理解に合わせて情報量や出し方を調整して伝える 基本活動：イラストを組み合わせて話を作り説明する（中級前） 応用活動：資料として用いた図表をわかりやすく説明する（中級後）
第2課 これは誰の意見？ 140	目的：引用の方法を理解し自他の意見を区別する方法を学ぶ 基本活動：引用を用いて言葉の定義をし、自分の主張を述べる（中級前） 応用活動：ディベートにおける効果的な引用の方法を学ぶ（中級後）
第3課 フィラーにトライ！ 151	目的：フィラーの働きを理解し自然な印象でスピーチをおこなう 基本活動：基本的なフィラーを適切に用いてスピーチをおこなう（中級前） 応用活動：話の展開に使うフィラーを用いてスピーチをおこなう（中級後）
第4課 依頼のテクニック 161	目的：相手の気持ちに配慮して依頼交渉を円滑に進める 基本活動：会話の相手・場・内容を考えながら依頼をする（中級後） 応用活動：難しい依頼を成功させる方策を考え依頼する（上級前）
第5課 説得の技術 172	目的：反論が想定される自己の主張を相手に納得させる技術を学ぶ 基本活動：常識に反するような意見を論理的に主張し説得する（上級前） 応用活動：ある主張について証拠を積み重ねながら説得する（上級前）

第4部　聞き手に配慮：自分の言いたいことを、聞き手の感情に配慮して伝える	
第1課 私ならあなたなら 184	**目的**：聞き手の感情に配慮しながら言うべきことを明確に伝える **基本活動**：禁煙場所でタバコを吸っている人に注意する（中級前） **応用活動**：友人の悩みを聞きだし相談に乗る（中級後）
第2課 あなたも私も幸せに 193	**目的**：相手の気持ちや状況に応じて柔軟な対応ができるようになる **基本活動**：相手の反応を見ながら希望にそった対応をする（中級前） **応用活動**：他者の意見を取り入れながらロールプレイをおこなう（中級後）
第3課 いらっしゃいませ 205	**目的**：相手の性格を考慮し、相手にとって心地よいほめ方をする **基本活動**：外見をほめながら商品を薦めるロールプレイをおこなう（中級前） **応用活動**：相手の話を聞き、考え方や行動などの内面をほめる（中級後）
第4課 とっさの一言 218	**目的**：周囲との関係を良好に保ちながら気まずい場面を切り抜ける **基本活動**：気まずい場面を相手に配慮し自分らしく切り抜ける（中級前） **応用活動**：気まずい場面をユーモアのある対応で切り抜ける（中級後）
第5課 ユーモアを交えて 230	**目的**：日常の何気ない出来事をおもしろく伝える発想や方法を考える **基本活動**：物語に言葉を追加してユーモアのある話にする（上級前） **応用活動**：自分の話に言葉を追加してユーモアのある話にする（上級前）

参考文献 240

第1部　第1課

おしゃべりの引き出し

いろいろな話題について話す練習をし、おしゃべりの引き出しを増やそう！

概要
基本活動：「私の好きな○○」というトピックでブレインマップをあらかじめ作成し、それを使って自分の好きなものを紹介する。

応用活動：「あのときの記憶」というテーマにかんするカードを引き、そこに書いてあるトピックについて一人ひとりその場で話す。

目的
日本語の会話に慣れる：自分について語る話題の引き出しや語彙・表現を増やし、日本語で話すことに慣れる。また、自分のことを相手に知ってもらうことで、打ちとけるきっかけを作る。

自分の話をモニターする：自分の発話を記録し、足りない表現や話の組み立てを客観的に見ることで、新たな言葉を学んだり、話す内容の改善に役立てる。

レベル
基本活動：初級後半〜　　**応用活動**：中級前半〜

時間
基本活動・応用活動：いずれも45分

人数
基本活動・応用活動：いずれも3人以上（3〜4人のグループ×グループ数）

準備
基本活動：基本活動ワークシート1、2を人数分
応用活動：応用活動ワークシート1のトピックカードはグループごとに1セット、応用活動ワークシート2は人数分

基本活動の手順

進め方	留意点
1. ブレインマップへの記入（5分） 1. 学習者は各自ワークシート1に、思いついた内容を簡単にメモしておく。 2. どのように話すかを考える。	➡ ワークシート1への記入はなるべく日本語でおこなう。（「基本活動の実際1」参照） 　ブレインマップのテーマは、「今ハマっている○○（ドラマ…）」「〜てみたい○○（行ってみたい国…）」など、クラスに合わせて変えてもよい。
2. 導入（5分） 1. ブレインマップのなかからトピックを一つ選び、学習者数名に質問をしてから、そのうち1人にまとまった話をさせる。 2. 活動に便利な表現や、簡単に話をまとめる文型を紹介する。	➡ 導入の仕方については「基本活動の実際2」を参照。「私の好きな○○」というテーマは、コースの初期にたがいを知り合うきっかけとして使うとよい。 　先に教師が自分の好きなものについて簡単に紹介し、例を見せてもよい。 ➡ 紹介の仕方については「基本活動の実際3」を参照。
3. 活動（25分） 1. 3〜4人のグループを作り、ブレインマップをもとにメンバーで質疑応答をしながら1人ずつ話す。質疑応答は簡単なものでよい。 2. 一つのトピックについて話し終わるごとに、質疑応答の内容や自分の話を振り返り、ワークシート2に記入する。	➡ ブレインマップから三つ〜四つ程度のトピックを取りあげ、各トピック5分程度で、メンバー全員がバランスよく話せるよう、時間の配分に注意させる。教師は、途中で何度か時間の経過を知らせる。 　聞く人はあいづちを打ち、しっかり聞くよう注意をうながす。 　教師は巡回しながら新しい表現などを個別に適宜導入する。多く見られた誤用にかんしては、全体にフィードバックをおこなう。
4. 教師からのフィードバック（10分） • 巡回して気づいた誤用や導入すべき新出語彙などをまとめて全体にフィードバックする。	➡ フィードバックする内容は、巡回中にメモをとっておく。

基本活動の実際

1. ブレインマップへの記入法

好きなものについて、名前だけでなく、思いついたことをいくつも書く。
→背景知識を活性化することで、内容の具体性を高め、話すための準備をする。

好きな食べ物
- カオニアオ・マムアン
- タイのデザート
- マンゴーともち米とココナッツミルク
- カロリーが高い

好きなこと
- 空の写真を撮る　500枚ぐらい
- いろいろな場所へカメラを持っていく
- 青い色が好き
- 東京はあまり空が見えない

2. 導入の方法

学習者数人に質問をしてから、そのうち1人にまとまった話をさせる場合

× 悪い例	○ よい例
指名の仕方	
いきなり1人に話をさせる。(クラスメイトのまえで1人で話すのは緊張するものなので、話しやすい雰囲気を作ってから、まとまった話をさせるほうがよい。)	学習者が発話することに慣れるよう、何人かに「～さんの好きな食べ物は何ですか。」「～さんの好きな日本語の言葉は何ですか。」など簡単な質問をしていく。数人終わったところで、1人の学習者に話をさせる。
話の引きだし方	
「～さんの好きな食べ物は何ですか。」「それはおいしいですか。」「よく食べますか。」など、一問一答やYes-No Questionでつぎつぎ聞く。(詰問調になってしまったり、話が切れ切れになってしまう。)	「～さんの好きな食べ物について教えてください。メモを見ながらでいいです。」と、1人に話させる。まとまった話ができるよう、話が終わるまで相づちを打ちながら聞く。話が終わったところで、いくつか質問をする。

3. よく使う表現や話をまとめるパターンの紹介

まず、学習者にAとBの話し方の例を読ませ、違いを比べさせる。

例A

> 私の好きな食べ物はカオニアオ・マムアンです。タイのデザートです。
> マンゴーともち米とココナッツミルクです。カロリーが高いです。

例B

> ①私の好きな食べ物はカオニアオ・マムアンっていうタイのデザートです。「カオニアオ」というのは「もち米」で、「マムアン」というのは果物の「マンゴー」です。
> ②マンゴーともち米に、ココナッツミルクをかけて一緒に食べます。とてもカロリーが高いから、たくさん食べると太るんですけど、私は大好きです。
> ③初めて見たときは「なんか気持ち悪い」と思いました。でも、食べてみたらおいしくてびっくりしました。
> ④みんなも絶対一度食べてみてくださいね。

よく使う表現や、まとまった話をするときのポイント①〜④を紹介する。とくに④については、はっきり言葉で示さなくてもわかる場合もあるので、クラスで少し話し合うとよい。

①ほかの人が初めて聞く名前や言葉は「〜という」を使って紹介しよう！
　「っていう」は、友達や、親しい人の間で使います。
②それがどんなものか、友達がわかるように説明しよう！
③自分の感想や気持ち、思い出などを話そう！
④ほかの人に、話が終わったことがわかる合図を入れよう！
　例：「これが私の○○です」／「こんな感じです」／「とにかく大好きです」など。

4. 教師からのフィードバック例

①好きなものについて話すときによく使う語彙を新しく紹介

> - 大好物／おふくろの味
> - お気に入りの〜
> - なくてはならない／私の生活に欠かせない
> - 一目ぼれして買った　　　　　　　　　　　　　　　　　　　　　など

②間違えやすいポイントの整理

間違いの例	正しい例
韓国の「Super Junior」というグループが好きです。<u>あの</u>グループのなかに1人、太った人がいるんです。	韓国の「Super Junior」というグループが好きです。<u>その</u>グループのなかに1人、太った人がいるんです。
私は本屋が<u>好きます</u>。	私は本屋が<u>好きです</u>。
私は写真を<u>撮ります</u>／<u>撮る</u>が好きです。	私は写真を<u>撮ること</u>が好きです。
私が好きな女性のタイプは、よく<u>笑います</u>。	私が好きな女性のタイプは、よく<u>笑う人</u>です。

③接続表現の活用

ブツブツ切れた文の羅列ではなく、まとまった話ができるよう、接続表現を使う。

> ＿＿＿＿に入る言葉を考えてみよう
> ①私は空の写真を撮るのが好きです。②＿＿＿＿、青い色が好き＿＿＿＿です。
> ③海も好きです＿＿＿＿、海へ行くのは大変です。空はどこにでもあるから空の写真を撮ります。④いろいろな場所へカメラを持ってい＿＿＿＿、もう500枚ぐらい撮りました。⑤東京はあまり空が見えない＿＿＿＿、寂しいです。

②［理由を補足する］　<u>どうしてかというと</u>、青い色が好き<u>だ</u>からです。
③［接続助詞で文をつなげる］　海も好きです<u>が</u>、海へ行くのは大変です。
④［接続助詞で文をつなげる］　いろいろな場所へカメラを持ってい<u>って</u>、もう500枚ぐらい撮りました。
⑤［接続助詞で文をつなげる］　東京はあまり空が見えない<u>ので</u>、寂しいです。

基本活動ワークシート1

ブレインマップ 「私の好きな○○」

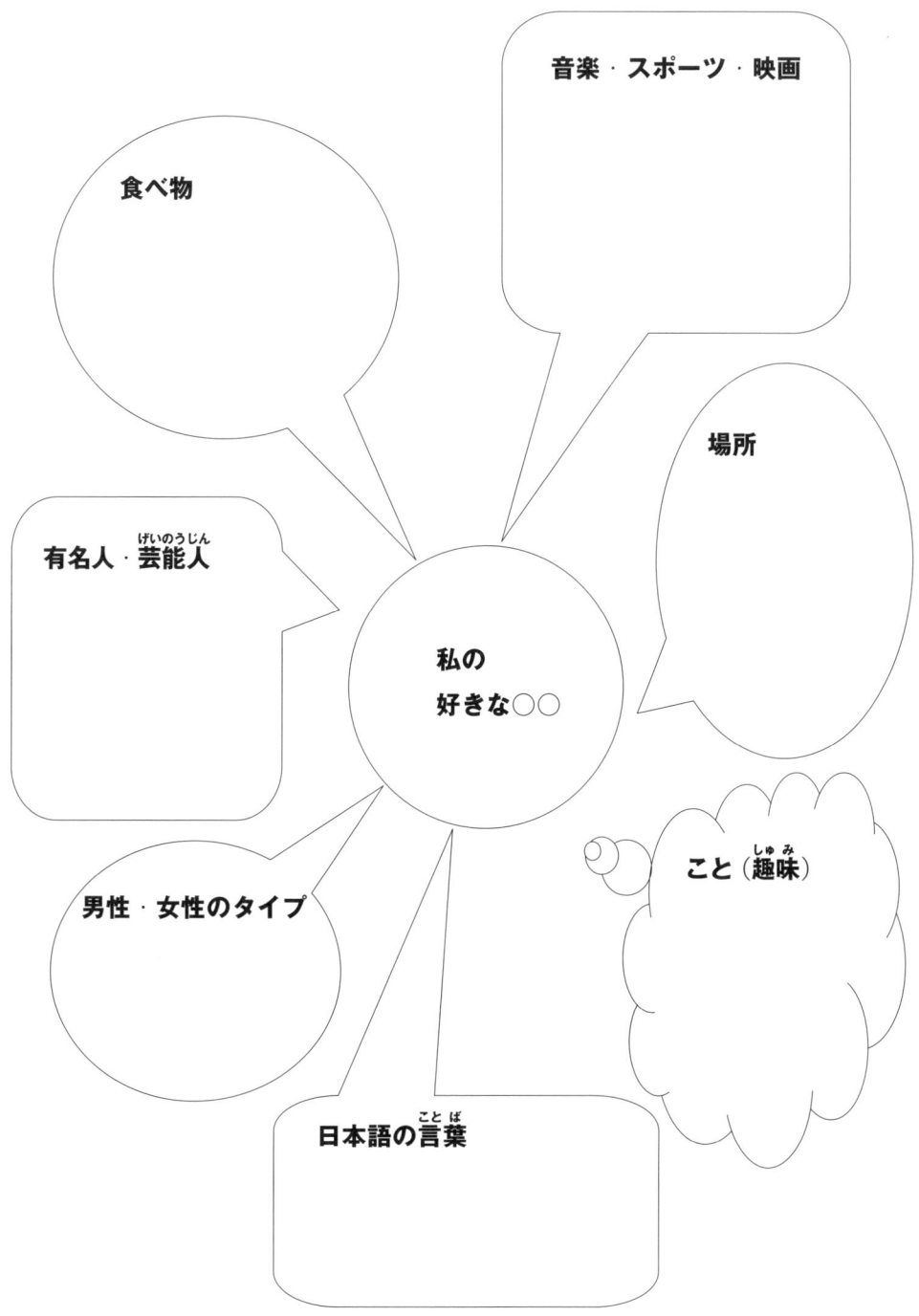

基本活動ワークシート 2

1—1 おしゃべりの引き出し

「私の好きな○○」

話し終わったら書きましょう。友達からの質問に日本語で答えられましたか。新しく学んだ日本語は何ですか。

トピック	友達からの質問と自分の答え	新しく学んだ日本語の表現
好きな食べ物		
好きな場所		
好きな 有名人・ 芸能人		
好きな 日本語の言葉		
好きな 音楽・スポーツ・映画		
好きなこと (趣味)		
好きな男性・ 女性のタイプ		

応用活動の手順

進め方	留意点
1. 導入（5分） • 教師自身の昔の写真を見せ、その写真の背後にある当時の状況や思い出などを語りながら、学習者の「あのときの記憶」への興味やイメージを広げる。	➡ 教師のほうから先に、笑えるエピソードや少しくだらない失敗談などを話しておくと、「何を話しても許される」雰囲気ができ、学習者はリラックスして話せる。
2. 活動（20分） 1. 3～4人のグループを作り、各グループにトピックカード（ワークシート1）をトピック別にはさみで切り、1セット渡す。 2. 1人ずつ順にカードをめくり、そこに書かれているトピックに沿って自分のことを2分程度で話す。聞き手は反応やあいづちを示しながら聞く。 3. 話が終わったら、質疑応答をおこなう。（1人の話につき3分）。話をした人は、どんな質問を受けたかメモしておく。	➡ 配付するトピックカード1セットの個々のトピックの枚数は、人数より多めに用意。 ➡ トピックカードをめくって、もしその学習者に経験がなければ、別のトピックカードを引いてよい。 　「あのときの」「初めての」は、いつのことか、具体的に説明するよう指示する。 　教師は学習者が知りたいと思った表現などを、巡回しながら適宜導入する。気づきの少ない学習者には、質問するなどしてフォローする。 ➡ 話の途中で質問をすると、内容がずれてしまう可能性があるので、話が終了してから質問の時間をとる。 　受けた質問をメモすることで、説明の足りなかった部分や、聞き手が知りたい情報に気づく。
3. 振り返り（5分） • 各自ワークシート2に記入し、自分の話し方を振り返る。	➡ 一度クラス全員でシートを見て、どんなことを記入するか確認するとよい。 　活動のさいにわからなかった語彙は、辞書で調べたり、教師に質問したりする。 　最後にもう一度同じトピックで話すことを伝え、そのための振り返りであることを確認する。

進め方	留意点
4. 教師からのフィードバック（5分） • 巡回して気づいた誤用や導入すべき新出語彙などをまとめて全体にフィードバックする。	➡ 発話の開始、終了、継続など、談話能力にかんする表現も導入する。(「基本活動の実際」の「3. よく使う表現や話をまとめるパターンの紹介」参照)
5. 学習のまとめ（10分） • グループメンバーを入れ替え、同じテーマでもう一度話す。	➡ 自己モニター及び教師からのフィードバックを踏まえ、もう一度同じトピックで話す。学んだことを活用し、試みる機会になる。

応用活動の実際

1. 教師からの動機づけの例

> - （自分の写真を見せながら）これは家族でプールへ行ったときの写真です。私は滑り台でたくさん滑りすぎて水着が破れてしまいました。
> - （「燃えよドラゴン」のDVDを見せて）みなさん、この人を知っていますか。ブルース・リーですね。とても強くてかっこいいです。私は子どものとき、「大きくなったらブルース・リーになりたい」と思っていました。みなさんは子どものとき、何になりたかったですか。

2. 教師からのフィードバック
文法の誤用や不自然な文末表現、フィラーの使いすぎなどの注意例

	間違いの例	正しい例
①文法の誤用	私が日本語の勉強を始めたきっかけはある日本人と<u>会いました</u>。	私が日本語の勉強を始めたきっかけはある日本人と<u>会ったことです</u>。
②語彙・フィラーの誤用	<u>何だか</u>、私が中学生のころ、……。	<u>そう言えば</u>、私が中学生のころ、……。

	間違いの例	正しい例
③不自然な文末表現、フィラーの使いすぎ	私は5歳のときですよね、はい。家族と日本に行ったことがありますよね、はい。	私は5歳のとき、家族と日本に行ったことがあるんですよ。
④指示詞・接続詞の不使用	私は田舎に住んでいました。私の田舎には自然しかありませんでした。私は映画を見るために……。	私は田舎に住んでいました。そこには自然しかありませんでした。そこで、私は映画を見るために……。
⑤不自然な発話の開始の仕方 ⑥不自然な文章の羅列	京都に行って、ネコを見て、とてもびっくりして、昔私が飼っていたネコにそっくりでした。	京都に行ったとき、とてもびっくりしたことがありました。ネコを見たんですけど、昔私が飼っていたネコにそっくりだったんです。

1−1 おしゃべりの引き出し

応用活動ワークシート1

あのときの ニックネーム	初めて見た 日本人
あのときの ケガ	初めて行った 外国
あのとき はやっていた遊び	初めて映画館で見た 映画
あのとき なりたかったもの	初めて歌った 日本語の歌
あのとき 飼っていたペット	初めて出席した 結婚式
あのときの 忘れられない言葉	初めて行った コンサート

応用活動ワークシート 2

●話し終わったら書きましょう

トピック：

このトピックを話すときのキーワード：

知りたかった表現：

説明の足りなかったところ：

つぎに工夫するところ：

コラム

自己表現活動としてのおしゃべり

「おしゃべり」は一見、日本語の学習とは無縁のように思われるかもしれませんが、とくに日本語学校のように長期間同じクラスメイトと日本語を学ぶ留学生にとって、クラスのなかで人格的な交流ができることは、精神的な充足を決める重要なポイントになると思われます。

岡崎・岡崎（1990:199）は、「出会う人間同士の交わりの中で自分を表現し相手を理解したいという願望は、本来社会的存在である人間の根源的に持つ願望として、（言語の教室においても）やはり存在している」と述べています。学んだ日本語を使って自分を表現できるようになりたい、相手についても知りたいという欲求は、学習者にとってもきわめて自然なことだと言えるでしょう。

田中・田中（2003:11-15）は、自己表現を中心とした授業の四つの特徴を挙げていますが、おしゃべりは、この四つの特徴をすべて備えているのではないでしょうか。

①自分の考えや思いがある

意見や考え、感情など、自分の事柄に関連したメッセージを伝える活動である。

②目的達成の手段として言語活動がある

言語活動は手段の一つであり、その先に自己表現という目的がある。

③他者とのかかわりがある

メッセージの受け手である他者が存在し、メッセージを伝えたいというコミュニケーションの意識が自然に働いてくる。

④自己とのかかわりがある

まず、自分の力で伝える内容を考え、それを他者に対して表現することにより、客観的に自分を振り返ることになる。他者からの気づきだけでなく、自分自身や表現の内容について自分の中での気づきを促す。

おしゃべりを楽しめる雰囲気にあるかどうかは、相互交流の度合いを見る指標になるかもしれませんし、反対におしゃべりで自己開示することが交流のきっかけを生むかもしれません。もちろん個人差があるものなので、学習者の個性や段階を見極めなければいけませんが、自分を表現する機会が持てること、自分が社会的存在であると自覚できることは、国を離れて生活する留学生にとって大切なことだと思われます。

第1部　第2課

個性的な自己紹介

"Show and Tell"で、個性的な「自己紹介」「グループ紹介」を目指そう！

概要
Show and Tell とは：アメリカの小学校でおこなわれている国語（英語）教育の手法であり、自分の持ち物を持ってきて、それを見せながら紹介をするという活動である。
基本活動：自分の宝物を使って、1人ずつ Show and Tell をおこなう。
応用活動：グループごとにメンバーの共通点がわかるようなテーマを決め、メンバーはそのテーマに関連する実物を持ってきてグループ発表をおこなう。

目的
描写・説明する力をつける：目に見えるものを使って、少ない語彙でも自分のことを説明できるようになる。
グループ活動に必要な調整能力をつける：共通のテーマについて、各自がそれぞれ伝えたいことをグループ内で調整し、まとめることができるようになる。

レベル　基本活動：初級後半〜　　応用活動：中級前半〜

時間　基本活動・応用活動：いずれも45分

人数
基本活動：2人以上
応用活動：3人以上（3〜4人のグループ×グループ数）

準備
基本活動：基本活動ワークシート1〜3を人数分
応用活動：応用活動ワークシートをグループ数分、基本活動ワークシート2を人数分

基本活動の手順

事前準備：自分のお気に入りのモノの助けを借りて、自分のことをクラスメイトに知ってもらうShow and tellという活動の趣旨を事前に説明し、Show and tellをおこなうために必要な宝物を持ってくるよう指示する。

進め方	留意点
1. 教師による実演（5分） • 普段身につけているものを使う、写真を使う、音楽CDを使う、などの方法を実演する。	➡ モノを見せながらであれば、簡単な語彙・文型でも、自己のことが十分聞き手に伝えられることがわかるように実演する。
2. ペアワーク（5分） 1. ワークシート1を使って質問し、質問をされた側はそれに答えながらメモをし、原稿の草稿を作成する。 2. 役割を交替する。	➡ 教師は教室をまわって、きちんとメモをとっているかなどを確認する。 　目に見えるものを使って、目に見えないことを説明するのがポイントなので、モノにまつわるエピソードや背景などを盛りこませる。
3. 原稿の作成（10分） • ワークシート3を使って原稿を作成する。	➡ 時間に余裕があれば、ペアで予行演習をさせておくとよい。
4. Show and tell（20分） • 宝物を見せながら紹介をおこなう。	➡ 1人1～3分程度を目安とする。 　非常に短い説明だった場合、「なぜこれが宝物なのか」「どんな思い出があるか」と質問をし、説明のヒントを与えるようにする。 　時間に余裕があれば聞き手からさらに質問するよううながす。
5. フィードバック（5分） • ワークシート2を用いて、発表についてクラスで話し合う。	➡ 時間がない場合は、教師主導でワークシート2の内容を紹介し、確認するだけでもよい。

基本活動の実際

Show and Tellの意義を共有：
Show and Tellは、実物の助けを借りて、自分のことについてわかりやすく紹介する方法である。実物を提示する方法を使えば、少ない語彙でも伝えたいことが伝えられる。活動を始めるにあたり、その点を学習者と共有することが、授業の活性化につながる。初回の授業でたがいの自己紹介は済んでいる場合もあるが、これは「自己紹介」のスキルを高める活動という位置づけになる。

目に見えるものから目に見えないものへ：
実物は目に見えるものであるが、その背景にある思い出やエピソードは目に見えない。話すことが得意な学習者には、目に見える実物だけでなく、目に見えない内容についても説明する努力をするようにうながしたい。

質問もトレーニングのうち：
質問者の質問もまた、自分が疑問に思ったことを相手に的確に伝えるトレーニングになる。また、発表者の説明の改善へのヒントも提供するという意味でのトレーニングになる。いわば、二重のトレーニングとなる貴重な機会なので、できるだけ質問のしやすい雰囲気作りを心がけたい。

事前準備の重要性：
実物があっても、準備なしにいきなり話すことは難しい。教師が最初にいくつかの方法をやってみせるとともに、つぎに示すような具体的な原稿を準備させるようにしたい。もし学習者がShow and Tellになじみがなければ、つぎの例をコピーして、事前に配付しておくのも一つの方法である。

例1：普段身につけているものの場合

> こんにちは。私の名前は〇〇〇〇です。△△△から来ました。私の宝物は、この携帯ストラップです。この人形です。小さいですが、見えますか。これは日本のアニメの□□□□の□□□です。知っていますか。私はこのアニメが好きで日本語の勉強を始めました。アニメは日本の文化だと思います。このストラップを見ると、日本語をもっとがんばろう、と思います。以上です。ありがとうございました。

※中学生のころからかぶっている帽子、父に買ってもらった財布、携帯に張ってあるプリクラの写真など、本人が気づいていない身近で大切なものに気づかせるようにする。

例2：音楽（MP3プレーヤー、iPod、音楽プレーヤー機能付き携帯電話など）

> こんにちは。私の名前は〇〇〇〇です。△△△から来ました。私の宝物はレミオロメンの「3月9日」という歌です。みなさん、知っていますか。知っている人は手をあげてください。あまりいませんね……。今日、私はこの曲を持ってきました。少しだけ、聞いてください。（♪♪♪）どうですか、すてきな曲でしょう？　私はこの歌を聞くと、国の家族を思いだします。家族のことを思いだすと、私は強くなれる気がします。そして、日本で寂しいときもがんばろうと思います。ほかにも好きな日本の歌はたくさんあります。みなさんが好きな歌手や歌を教えてください。これで私の発表を終わります。ありがとうございました。

例3：写真の例（父からプレゼントされた車）

> こんにちは。私の名前は〇〇〇〇です。アメリカから来ました。私の宝物は「車」です。車を持ってくることができませんから、その写真を見せます。古いですが、私の宝物です。高校を卒業したとき、父が私にプレゼントしてくれました。この車は父が乗っていた車でした。私はとてもうれしかったです。
> 今、私は日本に留学しにきていますから、この車に乗ることができません。寂しいですが、アメリカに帰ったらすぐ乗りたいと思います。大事にしたいと思っています。これで私の紹介を終わります。ありがとうございました。

基本活動ワークシート 1

Q1. 何を紹介しますか。

Q2. どんな特徴がありますか。

Q3. どうしてそれを紹介したいのですか。

基本活動ワークシート 2

Q1. 一番よかったのは、どの発表ですか。

Q2. なぜよかったと思いましたか。

Q3. わからなかったこと、難しかったことはありますか。

Q4. 自由に感想を言ってみましょう。

基本活動ワークシート 3

1-2 個性的な自己紹介

Show and Tell メモ

私の宝物

_____
_____

宝物の説明

_____
_____
_____
_____
_____

宝物になった理由

_____
_____
_____
_____
_____

まとめ

_____
_____
_____
_____
_____

応用活動の手順

事前準備：3〜4人ずつのグループに分け、グループのメンバーの共通点がわかるようなテーマを一つ決め、そのテーマに関するものを各自で持ってくるよう指示しておく。
- テーマは、グループのメンバーで自主的に選ばせるのがよい。
- 授業内容は予告してあるので、授業冒頭での教師の説明・指示は最小限にとどめる。

進め方	留意点
1. 原稿の作成（5分） ● 自分たちが持ってきたものを使ってグループで発表をおこなうことを教師が簡単に説明する。	➡ 持ってきたものを各自がばらばらに発表するのではなく、「ある一つのテーマ」についてグループ全体で発表するということを教師は冒頭で改めて強調する。
2. グループ活動（20分） 1. 代表者を決める。 2. 応用活動ワークシートを各グループのリーダーに配付する。 3. 1人ずつ自分の持ち物についてテーマに沿って話す。ほかの人は質問する。代表者は応用活動ワークシートにメンバーの話をメモする。 4. 全員の話が終わったら、それぞれの発表がテーマにうまく結びついているかどうか、メンバー全員で発表の内容を検討し、まとめる。	➡ 一人ひとりの発表に十分な時間を割く。発表する人はテーマとの共通点や好きな、あるいは大切な理由などを話す。 　「私たち」の意外な共通点が効果的に見えるように、メンバーが持参したものの提示順などを、話し合いのなかで工夫する。時間に余裕があれば予行練習をさせておくとよい。
3. 発表（15分） 1. グループごとに発表する。 2. 発表が終わるごとに、質疑応答をおこなう。	➡ 1グループ3〜5分程度を目安とする。 ➡ 質疑応答の時間の余裕がない場合は「時間がありませんので、1人だけお願いします」と言って調整する。
4. フィードバック（5分） ● 基本活動ワークシート2を用いて、発表についてクラスで話し合う。	➡ 時間がない場合は、教師の側で基本活動ワークシート2の内容を確認するだけでもよい。

応用活動の実際

1. 事前準備について

　グループ分けをしたあとに、メンバーの共通点がわかるテーマを決めるよう指示するが、テーマが決まらない場合は、以下のような例を紹介するとよい。応用活動では発表の活動と同じくらいに、この事前準備が重要である。「一つのテーマについてグループで発表する」ということを強調しておく。

- 日本に持ってきた大切な写真
  ➡ 家族の写真、恋人の写真、母国にいたときの思い出の写真、または、日本で撮った思いいれのある写真などを持ってくる。
- スポーツが好き
  ➡ 好きなスポーツ選手の写真を持ってくる。スポーツをしているときの写真やユニフォームがあればそれを持ってくる。プールで泳ぐ、ジムでトレーニングしているなら、そのメンバーズカードを持ってくる。
- マンガやアニメが大好き
  ➡ マンガを持ってくる。マンガのキャラクターグッズを持ってくる。マンガの主題歌がCDや携帯プレーヤーにあるならばそれを聞かせる。
- 食べるのが大好き
  ➡ 好きな食べ物や自分の国のおいしいものの写真。好きな食べ物やお菓子、飲み物を持ってきてもよい。
- おしゃれが大好き
  ➡ お気にいりの服や靴、アクセサリー。ファッション雑誌。
- カラオケ大好き／歌うのが大好き
  ➡ 好きな曲のCDやその曲が入っている携帯プレーヤー。その場で歌ってもいい。歌詞が好きなら歌詞を紹介する。

2. グループ活動：各自の持ち物を紹介する

　メンバー一人ひとりが自分の持ち物を紹介するさいに、それが好きな・大切な理由、あるいは、どんな思い出があるかについて紹介するように指示しておく。もし、その紹介がなければ、残りのメンバーからその点について質問するようにさせる。

　事前準備が十分でなかった場合、「ある一つのテーマ」を短い時間で探させるよう教師が以下のモデルを見せて話し合いをうながす。

教師：グループのテーマを決めましょう。Aさん、Aさんの服、すてきですね。どこで買ったんですか。
学習者A：これですか。これは無印良品で買いました。
教師：そうですか！　私も無印良品が好きです。無印良品が好きな人、いますか。
学習者B：私も好きです。よくいろいろなものを買います。
学習者C：私は無印良品で買ったことがありません。
教師：H&Mとか、ユニクロとか、ZARAやGAPは？
学習者C：ユニクロ、買いました。
教師：ユニクロ、いいですね。私も好きです。ユニクロや無印良品の服のことをファストファッションと言います。ファストファッションというテーマもいいですね。ほかにも、好きな色はありますか。好きな音楽はありますか。スポーツは好きですか。スポーツは自分がしますか。スポーツを見るほうが好きですか。「ゲームが好き」、「カラオケが好き」でもいいですね。いろいろ話しましょう。必ず、テーマがありますよ。

※ここでは、最初に「なぜ無印良品が好きなんですか」と直接聞かない。「なぜ？」ではなく、「そのなかで何が好きなのか」に焦点を当てたほうが、話が具体的になって、紹介が魅力的になる。たとえば音楽の場合でも、「なぜその曲が好きなのか」を言語化できない場合、「メロディー？　歌詞？　歌手？　どれが好き？」と具体化し、「好き」という感情の言語化をうながしていく。その結果、「歌詞」だとわかれば、好きになったエピソードなどが具体的にわかるし、それによってより深い紹介ができるようになる。

1-2　個性的な自己紹介

応用活動ワークシート

1−2 個性的な自己紹介

グループの共通のテーマ【　　　　　　　　　】

共通のテーマの説明

_____
_____
_____

（　　　　　　　）さんのもの（ものの説明、思い出、好きな・大切な理由など）

_____
_____
_____

（　　　　　　　）さんのもの（ものの説明、思い出、好きな・大切な理由など）

_____
_____
_____

（　　　　　　　）さんのもの（ものの説明、思い出、好きな・大切な理由など）

_____
_____
_____

（　　　　　　　）さんのもの（ものの説明、思い出、好きな・大切な理由など）

_____
_____
_____

コラム

「自己開示と返報性」「類似性と相補性」

　基本活動の Show and Tell は自身の宝物を持ってきて見せながら紹介するという活動ですが、これは、本来ならば部屋に遊びに行く間柄でなければ見せることはないプライベートなものを見せ、紹介し、さらにその思い出についても語るということです。このような「ありのままの自分を語ること」は「自己開示」と呼ばれます。聞き手の学習者の立場から見ると、たとえば部屋を行き来する間柄ではない人がこのような「自己開示」をしてくれた場合、自分が信頼されていると受け止め、自分も「自己開示」をおこなおうという動機が生まれると言われています。これを「返報性」と言います。相手がプライベートなことを話してくれたのだから、自分もプライベートなことを話してもよい、あるいはそうすることによってバランスがとれる、という感覚になるということです。ここから質疑応答を誘発させる動機づけに結びつけることができます。「自己開示」をした相手にたいして、まったく質疑をしないということは「返報性」の観点から逆に抵抗を感じ、感想程度の発言でもおこなおうという流れを作ることができます。その意味で、単に実物を持ってくるのではなく、「宝物」を持ってきてくださいと言うことが重要です。

　応用活動では「一つのテーマ」でメンバー間に共通点があるということが親近感を生みます。この共通点は「類似性」とも呼ばれますが、一方、グループとしての発表では、個々人がそれぞれ異なる持ち物を持ちよりますし、またテーマへのかかわり方もそれぞれに相違点があります。この相違点は「相補性」とも呼ばれます。心理学的に、男女の交際の初期段階ではおたがいの「類似性」があることによって親近感が増し、つぎに類似性があったうえでおたがいに違う面を持っているという相補性がある場合にさらに結びつきが強まると言われています。応用活動にはこの類似性と相補性の二つを組み立てることにより、メンバー間の結びつきを強めるねらいもあります。同時に、聞き手の学習者には「自己開示」による「返報性」も期待するという活動でもあります。

第1部　第3課

私の自慢

自慢することをとおして、自己や他者を魅力的に語ることを学ぼう！

📋 概要
自慢する活動とは：自分でほめ方を考えたり、他者がどういうほめ方をするかを観察することをとおし、表現方法の多様性を学ぶ。

基本活動：3～5人のグループを作り、そのグループ内であるモノを絶賛する。そして、記者役の学習者がそのよさをまとめ、みんなのまえで発表する。

応用活動：自分の今の魅力や過去の実績、経験などを自慢する。自分という人間を見つめ、情報を編集し、演出する。

🎯 目的
自己の評価を語る：「どれくらい」という程度を具体的かつ魅力的に語る。

自己の情報を編集し演出する：魅力的にほめるという行為を自分にたいしておこない、聞き手を楽しませる。

レベル
基本活動：初級後半～　　**応用活動**：中級前半～

時間
基本活動・応用活動：いずれも45分

人数
基本活動：3人以上（3～5人程度のグループ×グループ数）
応用活動：2人以上

準備
基本活動：基本活動ワークシートをグループ数分
応用活動：基本活動ワークシートを人数分

基本活動の手順

事前準備：グループごとにほめるモノを決め、授業に持ってきてもらう。ほめるモノは、学習者が持っているものでよい。携帯音楽プレーヤー、デジタルカメラ、かばん、靴、ボールペン、手帳、など。

進め方	留意点
1. 導入（5分） 1. 例を挙げながら、ほめるという行為についてみんなで考える。 2. 一つのものを例にみんなでほめてみる。	➡ ほめるという行為は、ほめる対象のある側面に注目し、そのすごさを、肯定的に、かつ具体的に評価することであることを意識づける。 ➡「基本活動の実際1」を参照。
2. 活動（20分） 1. 3〜5人のグループに分け、グループごとに記者役の学習者を1人決める。記者役の学習者にワークシートを渡す。 2. グループでそのモノがどれくらいすごいか「程度」を語り合い、記者役の学習者がグループで出た意見や感想をまとめる。	➡ 配付するワークシートはグループに1枚でよい。 ➡「程度」にかんして具体的なことは、「基本活動の実際2」を参照。
3. 発表（10分） 1. 記者役の学習者は、そのモノがどれだけ素晴らしいか、発表する。 2. 聞いている人は、発表のよかった点をワークシートの項目にメモする。	
4. フィードバック（10分） ・各発表が終わったら、どのような「ほめ方」の技術があったか、確認する。	➡ 教師は、「具体的に」語られていたものに注目して聞き、フィードバック時に指摘（必要に応じて板書）する。確認作業例にかんしては、「基本活動の実際3」を参照。具体性が足りなかった場合は、「それはどれくらいすごいことなのか」を全員で考え、具体性をどう表現するかを検討する。

1−3 私の自慢

基本活動の実際

1. 教師からの動機づけの例

ほめの例を挙げ、ほめという行為を意識してもらう。

[例] デジタルフォトフレーム

　　最近ではデジカメの普及により、フォトフレームもデジタルのものがたくさん売られています。そんなフォトフレームのなかでも、このフォトフレームは、写真と一緒に、ダウンロードした音楽や録音した声、文字によるメッセージをあらかじめフォトフレームに入れてプレゼントできる優れものです！ たとえば、子どもの写真と声をこのフォトフレームに入れて、機械の苦手な実家の両親にプレゼントしたり、また、友人の結婚の記念に、二人の写真にお祝いのメッセージをつけてプレゼントしたりできます。

学習者に、この例がこのフォトフレームの何をほめているのか、考えさせる。
×デジタルフォトフレームは便利である。
×両親や友達を大切にしている。
○写真以外の音楽、声、文字が入れられるようになっている。
○贈り物としての使い方まで考えて作られている。

※「ほめる」さいに、ほめる対象のある一面に注目して、そのすごさを、ポジティブに、かつ、具体的に語ることであることを意識づける。(「程度」を意識させる)
※学習者のレベルによっては、つぎのページの「フィードバックの確認作業例」を配付し、具体的に語る方法を、事前にヒントとして提示してもよい。

モノにたいしての知識を提示する例

「モノ」＝「携帯音楽プレーヤー」の場合
- この商品の容量は、4 GBです。音楽を約10,000曲入れられます。
- ○○社製です。
- イヤホンはこうなってます。(実物を見せる)
- 実際に聴いてみると、これくらい音がいいです。(実際に聴かせる)

2. グループで、モノにたいしてすごいと思ったこと（どれくらい、という程度）を述べあう

> 「モノ」＝「携帯音楽プレーヤー」の場合
> - 4 GBって、一昔まえのパソコンと同じくらいの容量だよね？　大きいね！
> - このイヤホン、なんか首にかけられるようになってんだね、便利！
> - なんか、低い音がすごくよく聴こえるよ。
> - この値段は、CD 4枚分と考えると安いよ。
> - そう言えば友達に持ってる人が多い。使った人はみんないいって言ってた。

「**程度**」**にかんして**：「程度」というのは、たとえば「音がよい」という抽象的な表現ではカバーしきれない、「どれくらい音がよいのか」の「どれくらい」に相当する部分のことを指す。つまり、ここでいう「程度」の言及とは、「具体化」と同じような意味で、受け手がイメージしやすい表現に具体化するということである。抽象的な表現は、漠然とした印象しか相手に伝えることができずイメージしにくいものなので、より具体的に「どれくらい」すごいのかを表現することで、受け手にわかりやすくイメージしてもらえる表現を目指すことに注意されたい。

3. フィードバックでの確認作業例

具体性を！：たとえば、「液晶が見やすい」という長所だけを挙げても、どれくらい見やすいのか伝わらない。これを、もっと具体的に掘りさげることが、この課題の目的である。

具体化の方法

- 【液晶の見やすさ】サイズが小さい→○cm×○cm　［正確さ］
- 【大容量】10,000曲入る→1日1曲聴いて、約27年分！　［置き換え］
- 【音がいい】重低音がよく聴こえる→なぜか腹痛が治まった！　［結果としてのエピソード］
- 【イヤホンの装着感】耳の形に合わせられるシリコン素材→耳栓としても使える。　　　［多機能性］
- 【色やデザイン】シンプルなデザイン→どんな服にも合う！　［使用場面の柔軟性］
- 【ブランド力】この会社は有名→母国のテレビも8割はここの製品だ。［市場規模］
- 【金額】10,000円→CD4枚分だと思えば安い。［比較］

　具体性に乏しい発表しか出ない場合は、上記のように、正確さ、置き換え、結果としてのエピソード、多機能性、使用場面の柔軟性、市場規模、比較などの方法をヒントとして与える。とくに、数字などを使用する、別のものと比較する・置き換える、などの手段で具体性を持たせる方法はわかりやすく、かつ有効である。

※人数の少ないクラスは、グループで活動したうえで、一人ひとりが記者役になり、全員で語り合ったことを発表する。

※ほめる対象は、モノではなくヒトでもよい。この場合、グループのクラスメイトの1人を「取材対象」とし、その人のどこが優れているか、具体的に聞きだし、みんなで「取材」する。

基本活動ワークシート

ブレインマップ「ほめるモノ／私の自慢」

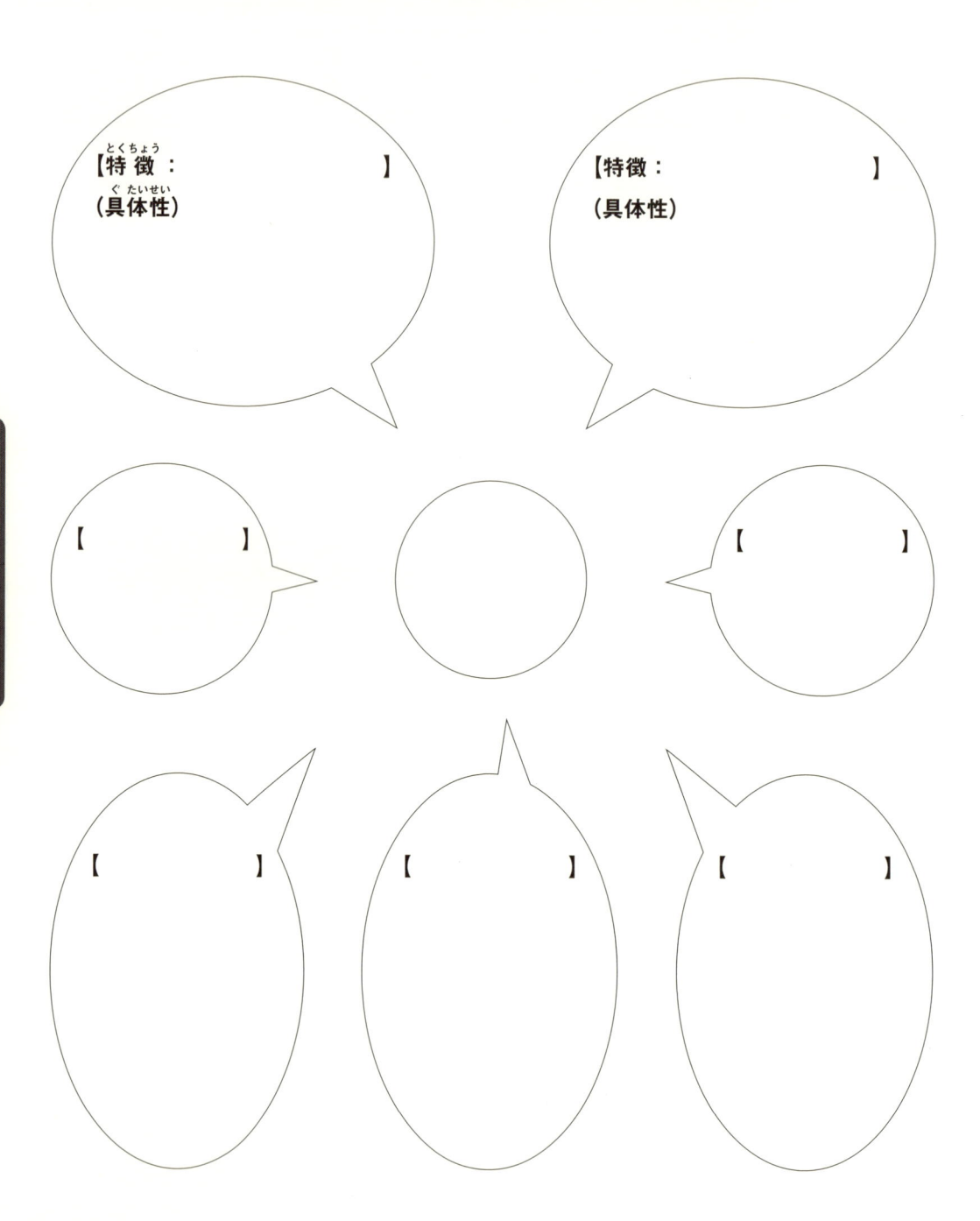

【特徴(とくちょう)：　　　】
（具体性(ぐたいせい)）

【特徴：　　　】
（具体性）

【　　　】

【　　　】

【　　　】

【　　　】

【　　　】

1−3 私の自慢

応用活動の手順

進め方	留意点
1. 自分にかんしての知識をまとめる（5分） ● 今度は「自分」を自慢するために、自分の素晴らしい点を1点挙げる。その点を物語る「具体的」なことを、ブレインマップに記述していく。	➡ 基本活動ワークシートを使用。「そんなにすごいことがない」「自慢できるようなものはない」という意見が出た場合、「普通のことでも基本活動で学習した技術を使えば、長所として伝えられる」とアドバイスする。次ページの表を参考に、例を一つやってみるのもよい。
2. 具体性と演出（15分） ● 長所に書きだした「具体性」を演出していく。ここでは、どれか一つの「長所」を具体的にさまざまな方法で伝える工夫をしてもらう。	➡ 自分を魅力的に演出していく。方法については、「応用活動の実際1～3」を参照。
3. 発表とフィードバック（20分） ● ブレインマップを参考に、自分の素晴らしさを発表する。 ● 発表が終わるごとに、どんな技術を使っていたか、表現の工夫について聞き手は感想を述べあう。	➡ 表現の工夫にかんしては、出た意見を板書する、あるいは、ワークシートなどを作成し、感想を書いて提出させる、などすると、学習者への定着もよくなる。
4. まとめ（5分） ● 教師は、魅力的に自分を紹介できていた発表を中心に、表現や発想の面での優れた点を指摘し、まとめて提示する。	

応用活動の実際

1. 演出の方法

たとえば、「今、お金がない」ということでさえ、「お金がなくても生きていける」=「それでも幸せなときがある」=「私は誰よりもたくましい！」と結論づけることができるなど、発想を広げるヒントを与えることも視野に入れておく。

以下、どんなことでも「とらえ方」によって自慢できるような演出例を示す。「ものは言いようである」ことを発見してもらう。これが「自分の編集」になる。

取りあげる点	演出例
素敵な友達が多い。	私は人と運に恵まれている。 （自分が引き寄せている、という解釈）
友達が少ない。	私は自立心が強い。 （別の視点から見た事実）
お金がない。	私はたくましい。 （導きだされる結論を自慢する）
日本人ではない。	私の生まれた国、○○はこういうところが素晴らしい！ （自分を国へ置き換える）
視力がいい。	数メートル先に落ちている硬貨を誰よりも先に発見できる。 （それによる効果）
ちょっとだけモテた。	自分のクラスのまえに、自分を待つ異性の行列ができた。それが1階まで続いた。（誇張）

気づきの少ない学習者は、「普通の人はこうだが、自分は○○だ」「こういうふうに人に言われた」「こういう珍しいことがあった」という比較、評判、エピソードから書いてもらうとよい。多少の誇張、ウソは認めてもよい。よいポイントがあった場合は、すぐにそこをほめるよう心がける。

また、話し言葉なので、再現をするときは、人の口調の真似やオノマトペの活用、身振り手振りを交えて話すことも効果的である。

2. 多面的な語り

応用活動では、自分の長所だと思う部分を、どれか一つだけに絞り、その長所を多面的に語ることを目標にする。たとえば「異性にモテる」という長所を一つだけに絞り、「どれくら

いモテるのか」ということを、具体的に、多面的に語るようにさせる。これは、「私はお金持ちだ」「異性にモテる」「同性にモテる」「運動能力が高い」「語学が堪能」など、抽象的な長所をたくさん挙げることを防ぐためである。

　指導のさいは、「抽象」「具体」という言葉の範囲を示すよりは、長所を1点挙げ、「どれくらい」それにかんしてすごかったのか、その程度を、いろんな観点から語ってもらうように注意させたい。

3. 話のリアリティー

　話にリアリティーを出すためには、こんな方法がある、ということをなるべくたくさん挙げられるとよい。

- 具体性

　　比較：私は〜　→　普通は〜だが、私は〜

　　数値：大昔に　→　紀元前237年に

　　データ：約8割が　→　78％が「好き」、19％が「嫌い」、どちらでもないが3％

　　専門語：癌で入院　→　十二指腸に悪性腫瘍ができ入院

　　権威づけ：〜と言う人もいるが　→　「〜」と、○○大学の△△教授は指摘している

　　描写：丸いものが　→　全長30センチの楕円形の物体が

　　情報の確からしさ：「だそうだ」　→　「だ」

　　再現力：会話の直接引用を利用　オノマトペ　身振り手振り

- 事実とウソの配置

　　事実と、それを演出する力　「大きく言う」

　　足が速い　→　続けていればボルトとライバル

※「応用活動」は、二人一組のペアになり、相手からいろいろな情報を聞きだし、「相手」をクラスメイトに自慢する方法をとってもよい。あるいは、聞き手がいることで、自分を見つめるきっかけとしてもよいので、ペアでおたがいを取材してもらい、質問されることでブレインマップを作成するのもよい。ブレインマップの作成については、「応用活動ワークシート例」を参照のこと。

応用活動ワークシート例

ブレインマップ　武勇伝
【例：モテた】

【人からの評判】
(具体性)
- ブラッド・ピットに似ていると言われたことがある。
- 小栗旬に「目元」が似ていると言われた。
- 近所のおばさんに「結婚して」と言われた。

【現象】
(具体性)
- 隣のクラスからも休み時間にひっきりなしに異性が観察に来て困った。
- 告白にいくつものパターンがあることを自然に知った。

【理由】
(具体性)
- 雨の日に子犬を拾うくらいは優しい。
- 私がいると、空気が変わるくらい明るい性格だ。

モテた

【ねたまれた】
(具体性)
- 同性にいつもうらやましがられる。
- 同性から男／女の敵と言われた。

【普通よりモテた】
(具体性)
- バレンタインデーは、かばん以外に袋を持っていかなければならなかった。
- 自分をめぐって、異性どうしがけんかになっていた。

1−3 私の自慢

コラム

具体性と比喩

「基本活動の実際」「応用活動の実際」では触れていませんが、話し手が、自分の言いたいことを具体的に伝える有力な方法に比喩があります。比喩は何かを何かにたとえる方法で、「たとえられるもの」と「たとえるもの」がつねに存在します。たとえば、ある大きさのデジカメを88mm×125mmのように正確に表示することもできますが、パスポートサイズと言うことも可能です。この場合、デジカメが「たとえられるもの」、パスポートが「たとえるもの」になります。具体性を持たせる比喩の原理は、自分が知っているものを、相手が知っているものに「置き換える」ことです。

比喩の優れた点は、「たとえられるもの」がイメージ豊かになるという点です。上のデジカメの例で言えば、88mm×125mmと言われてもピンと来ませんが、パスポートサイズと言われれば、その大きさが感覚的に想像できます。その結果、片手で簡単に操作できそうなポジティブなイメージを持てるわけです。

「たとえるもの」は文脈と無関係に持ってきてよいので、どんなものを選ぶか、そのセンスが比喩の表現効果を決めると言っても過言ではありません。

「たとえるもの」を上手に選ぶコツは、二つあります。

一つは、身近にあるものを選ぶというものです。たとえば、「ナシゴレンってどんな料理？」と質問して、「ジャンバラヤみたいな料理だよ。」という答えでは、ジャンバラヤを知らない人にはピンときません。ところが、「チャーハンみたいなもの」「チキンライスのようなもの」と言われれば、想像しやすいものになるでしょう。

もう一つは、意外性が高いほど、効果も高いというものです。比喩では、カテゴリがかけ離れたものどうしを結びつけるほど、意外性があり、おもしろみが増します。たとえば、月面の様子を描写するときに、「砂漠のようだ。」「荒野のようだ。」と言えばわかりやすいかもしれませんが、効果は薄いでしょう。ところが、「ジャガイモのようだ。」と言うと、生き生きと想像できるのではないでしょうか。

さらに、やや高度な技法ですが、一見どこが似ているか、わからないものどうしをつなげて、共通点を種明かしする方法もときに有効です。芥川龍之介『侏儒の言葉』にある「人生は一箱のマッチ箱に似ている。重大に扱うのはばかばかしい。重大に扱わなければ危険である。」などは有名な例です。これは、「ミニスカートとかけて、結婚式のスピーチと解く。その心は短いほど喜ばれる。」のような、なぞときにつながる手法と言えます。

第1部　第4課

雑談力をみがく
よく知らない人が相手でも、自分から質問して会話を始めよう！

📄 概要
雑談力をみがくとは：日常のなかで、初対面の人やよく知らない人と、場を持たせるために会話をしなければならない場面は案外多い。そんなときに自分から会話を開始したり、会話が続くようリードしたり、適切なタイミングで終了したりできるようにする。
基本活動：初対面の人やよく知らない人に、適切な質問をして会話を始める練習をおこなう。
応用活動：話が続かなくなったときに話題を転換したり、適切なタイミングで切りあげたりする練習をおこなう。

🎯 目的
初対面の人やよく知らない人への質問力をきたえる：相手の参加しやすい話題について適切な表現を用いて質問できるようになる。
会話を一往復で終わらせない技術を身につける：相手の反応に応じてさらに会話を続けたり、適切なタイミングで話題を変えたりする技術を身につける。
適切なタイミングで会話を終わらせる技術を身につける：相手に失礼にならないように自然に会話を終わらせるタイミングや表現を学ぶ。

🎵 **レベル**	**基本活動**：中級前半〜	**応用活動**：中級後半〜
🕐 **時間**	**基本活動・応用活動**：いずれも45分	
👤 **人数**	**基本活動**：2人以上 　　　　　　6人以上の場合は、3〜5人のグループ活動にする。 **応用活動**：2人以上 　　　　　　4人以上の場合は、ペアを複数作り、途中で相手を交代する。	
💼 **準備**	**基本活動**：基本活動ワークシート1、2を人数分×2 **応用活動**：応用活動ワークシートを人数分	

基本活動の手順

進め方	留意点
1. 導入（7分） 1. パーティーであまり親しくない人と同じテーブルになってしまった、電車で偶然、隣に顔見知り程度の知人が座っていた、といった場面で会話に困った経験、自分なりの対処法などを話してもらう。 2. 雑談を開始するには、どんな質問が適切かいくつかの場面を例に考えてもらう。	➡ 学習者の実際の場面での対処法をとおして、親しくない人と雑談を始めるには、自分から積極的に相手に質問していくことが有効であることを確認する。 ➡ 質問のポイントを整理する。（「基本活動の実際」の「ポイント」参照）
2. 初対面の人との会話（10分） 1. ペアを決め、会話を始めるための質問をワークシート1に書きこむ。 2. ワークシート1をもとに会話を開始。1人の質問が終わったら、質問者交代。 3. 質問されたほうは、ワークシート2にチェックする。	➡ できるだけあまり親しくない人とペアにさせ、場面設定を決める。（「基本活動の実際」の「会話場面例」参照） ➡ 会話を始めるまえにワークシート2のチェック項目について説明をしておく。 　唐突にならないよう、あいさつや自己紹介から始め、相手の回答にたいする感想も一言添えるよう注意する。（「基本活動の実際」の「会話例」参照） 　教師は学習者の様子を見て回り、アドバイスをする。（「悪い例・よい例」参照）
3. 発表（5分） • 練習した内容を発表し、ほかの人からコメントをもらう。	➡ クラスの人数が多い場合は、数組を指名して発表してもらう。 　学習者の質問が共通の話題をうまく引きだせたかどうかを話し合う。
4. よく知らない人との会話（10分） • 2と同様におこなう。	➡ 今度は初対面ではないので、設定（「基本活動の実際」の「会話場面例」参照）から共通の話題（仕事、授業など）を考えるようにうながす。

進め方	留意点
5. 発表（5分） • 練習した内容を発表してもらい、ほかの人からコメントをもらう。	➡ クラスの人数が多い場合は、数組を指名して発表してもらう。 　間のとり方やイントネーション、表情など、非言語的な面についても注意をうながす。
6. フィードバック（8分） • 発表者のよかった点や、練習・発表を通じて気づいた点などについて、意見・感想を交換する。	➡ 教師は、全体で共有したほうがよい問題点・工夫点について簡単にコメントする。 　どんな質問が答えやすく、会話が発展しやすいかについて気づきをうながす。

基本活動の実際

会話場面例

初対面の人と	• 学校・サークルの新入生歓迎会 • 会社・アルバイト先の新人歓迎会 • 結婚式の二次会
よく知らない人と	• 駅までの道で、顔見知り程度の近所の人と一緒になる • あまり親しくない学校／会社の人と電車で乗りあわせる • 忘年会であまり話したことのない人と隣の席になる

ポイント

①見えているものを話題にする	例1：目のまえにある食べ物や飲み物 　　「それ、日本酒ですよね。お好きなんですか。」 例2：相手の服装 　　「すてきなネクタイですね。海外のブランドですか。」
②相手との共通の話題を探す	例1：新入生歓迎会→取りたい授業、入りたいサークル 例2：結婚式の二次会→新郎新婦との関係、結婚式の感想 例3：近所の人→最近のお天気、近くのお店の情報
③簡単に答えられる質問にする	例：最近、仕事はどうですか。△ 　　最近、仕事は忙しいですか。○

会話例

初対面の人と。新入生歓迎会での新入生どうしの会話

> A：どうも、はじめまして。Aと言います。［あいさつ］
> B：はじめまして。私はBと言います。
> A：そのストラップ、おもしろいですね。何のキャラクターですか。［質問］
> B：これですか。犬シバです。
> A：へえ、犬シバって言うんですか。かわいいですね。［感想］

よく知らない人と。駅までの道で一緒になった近所の人との会話

> A：おはようございます。暑いですね。［あいさつ］
> B：あ、おはようございます。ほんとに暑いですね。
> A：いつもこんなに早いんですか。［質問］
> B：ええ、だいたいこの時間です。
> A：そうなんですか。大変ですね。［感想］

×悪い例	〇 よい例
（突然）新入生ですか。	あのう、新入生の方ですか。
※唐突な印象を与えないように、適切なフィラー（第3部第3課参照）を入れる。	
いつもこの電車に乗っていますか。	いつもこの電車に乗っているんですか。
※確認質問には「んですか」を使う。	
何年ぐらいギターを習ってるんですか。	ギターは、何年ぐらい習ってるんですか。
※話題にしていることは「は」で主題化する。	
接客の仕事ってどうですか。	接客の仕事って大変ですか。
※相手に負担をかけないように、答えやすい質問にする。	
結婚しているんですか。	ご家族は今、日本ですか。
※プライバシーにかかわることは直接聞かないほうがよい。	

基本活動ワークシート１

相手と雑談を始めるための質問を、いろいろ考えましょう。

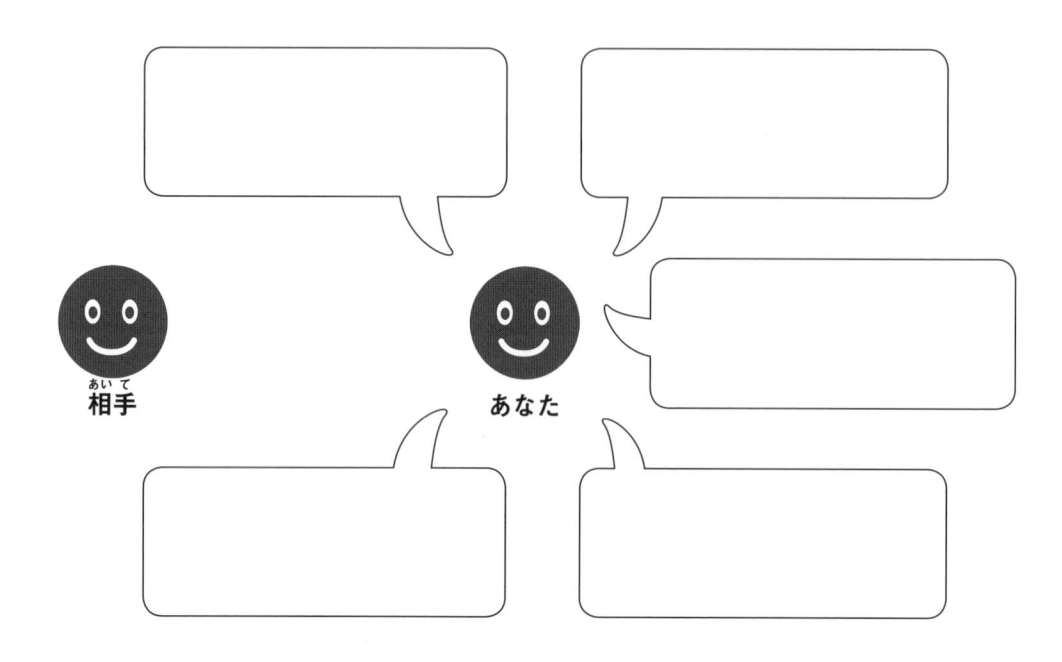

相手　　　あなた

　基本活動ワークシート２

相手の質問はどうでしたか。チェックしましょう。（評価：Ａ～Ｃ）
（　　　　　　　）さん

質問内容は場面に合っていたか	答えやすい質問だったか	質問の表現は適切だったか	適切なあいさつや感想があったか

コメント：

応用活動の手順

進め方	留意点
1. 同じ話題で会話を続ける練習（20分） 1. 基本活動でなされた質問を例として挙げ、相手の応答にたいしてさらに質問をし、一つの話題でできるだけ長くやりとりをするよう指示する。(5分) 2. ペアを作り、基本活動のさいにした質問から始めて、できるだけ長くやりとりをしてもらう。(7分) 3. いくつかのペアに発表してもらう。(3分) 4. やりとりが長く続いた質問、発展しにくかった質問はどのようなものだったか挙げてもらう。(5分)	➡ 学習者が基本練習をおこなったさいに、自然と会話が続いた例があれば挙げてもらう。 　一問一答でなく、相手の応答に応じてその場で関連した質問を考え、同一の話題で会話を続けるよう指示する。(「応用活動の実際」の「会話例」①～③参照) ➡ 話下手な人とでも会話が続けられることを目的としているので、質問者側が会話の開始・継続・終了のすべてをリードするよう指示する。答える側は質問禁止とする。質問が思いつかず、会話が続かなくなったら、質問者と回答者を交代する。 　教師は学習者の様子を見て回り、学習者にアドバイスをしたり質問に答えたりする。
2. 話題を転換する練習（10分） 1. その話題で話が続かなくなったとき、適切なタイミングで話題を転換する言い方を考えさせる。(4分) 2. ペアで練習。同じ話題で2～3続けて質問をしたら、話題を変え、また2～3続けて質問をする。(6分)	➡ 唐突にならないように、つなぎの言葉、話題の選び方に注意させる。(「応用活動の実際」の「便利な表現」参照) ➡ 3分程度で質問者を交代させる。教師は学習者の様子を見て回り、学習者にアドバイスをしたり質問に答えたりする。

進め方	留意点
3. 会話を終わらせる練習（10分） 1. 適切なタイミングで会話を終わらせる方法を考えさせる。 2. 2列に並んで、ペアを作ってもらう。列の一方だけが質問者となり、会話をリードする。 3. 教師の合図で会話を開始。開始後、1分たったところで教師が合図をする。 4. つぎの合図で15秒以内に会話を切りあげ、質問者側が1人ずれて、新しいペアでまた会話を始めてもらう。 5. 何人かペアを変わったところで終了し、最後の質問者にたいしてワークシートを記入する。 6. 質問者側と相手側を交代し、3〜5の手順で練習をおこなう。	➡ 唐突に終了させるのでなく、自然に終わらせられるようにタイミングや表現に注意させる。（「応用活動の実際」の「便利な表現」参照） ➡ 質問者側が会話の開始・継続・終了のすべてをリードするよう指示する。 ➡ ペアをつぎつぎに変えることは、初対面会話に慣れさせること、どんな相手でも会話がふくらみやすいネタを模索させることも目的としている。 　教師は全体で共有したほうがよい点や問題点などをメモしておき、終了後簡単にコメントする。
4. フィードバック（5分） • ワークシートをもとに、限られた時間で適度に会話をふくらませ、適当なタイミングで終了する方法などについて意見交換をする。	➡ 話題がふくらみやすかった質問、ふくらみにくかった質問はどんなものか、話の転換や終了のコツなどについて、活動をとおして気づいたことをまとめる。

応用活動の実際

便利な表現

話題の転換	丁寧な会話：話変わりますけど／ところで／そう言えば
	くだけた会話：っていうか（てか）／なんか／そう言えば
会話の終了	切りあげのサインを出す：じゃあ（では）、そろそろ……／ このへんで……／こんなところで……
	席をはずす：あ、ちょっと｛電話して／トイレに行って／～先生にあいさつして／料理とって｝きますね。
	感想やお礼、あいさつの言葉でまとめる： お話しできて楽しかったです。ありがとうございました。／ またぜひお話聞かせてください。／これからもよろしくお願いします。

会話例（会社の新人歓迎会で。Aは新入社員、Bは入社3年目の先輩）

①～③…同じ話題で質問を続ける　④…話題を転換する　⑤…会話を切りあげる

> A：どうも。新人のAです。よろしくお願いします。
> B：どうも。Bです。入社3年目です。
> A：先輩、それ、日本酒ですよね。日本酒お好きなんですか。
> B：うん、まあね。だいたい何でも飲むけど。学生時代ほどは飲まなくなったけどね。
> A：学生時代はサークルとかでよく飲みに行ったんですか。…①
> B：体育会系だったからね。
> A：へえ、どんなサークルですか。…②
> B：テニス。
> A：そうなんですか。今も続けてらっしゃるんですか。…③
> B：いや、最近は全然。
> A：そうですか。そう言えば、この会社ってけっこうサークル活動が盛んだって聞きましたけど、どんなのがあるんですか。…④
> B：スポーツとか音楽とか、いろいろあるみたいだよ。俺は参加してないんだけどね。
> A：そうなんですか。ありがとうございます。今度調べてみます。
> 　　……あ、すみません、ちょっと課長にあいさつしてきますね。…⑤

×悪い例	○よい例
A：かわいいストラップですね。犬が好きなんですか。 B：はい。2匹飼ってるんです。 A：そうですか。	A：かわいいストラップですね。犬が好きなんですか。 B：はい。2匹飼ってるんです。 A：へえ、<u>どんな犬ですか</u>。

※相手の答えにさらに質問を重ねると、話題がふくらむ。

×悪い例	○よい例
A：出身はどちらですか。 B：栃木県です。 A：そうですか。好きなスポーツは何ですか。	A：出身はどちらですか。 B：栃木県です。 A：そうですか。<u>栃木県には何年ぐらい住んでいたんですか</u>。

※唐突に思われないように、できるだけ関連性のある質問を続けるとよい。

×悪い例	○よい例
A：早起きはつらくないですか。 B：朝は昔から強いほうなんです。 A：そうですか。私は苦手なので、うらやましいです。駅前に新しいレストランができましたよね。もう行ってみましたか。	A：早起きはつらくないですか。 B：朝は昔から強いほうなんです。 A：そうですか。私は苦手なので、うらやましいです。……<u>ところで、話変わりますけど</u>、駅前に新しいレストランができましたよね。もう行ってみましたか。

※話題を転換するさいは、適切な表現を用いて転換の合図を出す。適度な間（ま）も必要。

×悪い例	○よい例
A：よくみなさんで飲みに行ったりされるんですか。 B：そうだね。けっこうよく行くよ。 A：いいですね。ぜひ今度誘ってください。じゃあ、失礼します。	A：よくみなさんで飲みに行ったりされるんですか。 B：そうだね。けっこうよく行くよ。 A：いいですね。ぜひ今度誘ってください。……あ、すみません、ちょっとお手洗いに行ってきますね。

※無理に会話を終了させたような印象を持たれないようにする。

応用活動ワークシート

相手の質問はどうでしたか。チェックしましょう。（評価：A～C）
（　　　　　　　　　）さん

話題を広げる質問ができていた	表現や質問形式は適切だった	話題の転換は自然だった	話の終わらせ方は自然だった

コメント：

1-4 雑談力をみがく

> コラム

コミュニケーションが目的の会話をするために

　パーティーでたまたま同席した人や偶然出会った知り合いとの会話は、「雑談」と言ってもいいかもしれません。「雑談」は決まった目的のための会話ではなく、「話をすること」自体が目的であり、決まった目的がないだけに、難しいコミュニケーションであると言えます。

　非母語話者と母語話者との雑談においては、母語話者側が主導権を握り、非母語話者は母語話者の質問に答えるという受身の形で会話に参加することが多いようです。しかし非母語話者であっても積極的に質問し、会話を作っていこうとすることは、好印象につながり、よりよい人間関係を形成するきっかけになると思われます。

　では、「雑談」するための質問とは、どのようなものが適切なのでしょうか。初対面の会話では、相手が単純に答えられるような質問で開始することが多いようです。抽象的な質問や複雑な内容を問うよりも、相手に負担をかけなくてすみ、その結果、相手が会話に参加しやすくなるためでしょう。また、日本人どうしの場合、初対面またはあまり親しくない相手との雑談で、相手の家族や仕事などのプライバシーにいきなり踏み込むような質問は避ける傾向があります。相手の個人情報は、会話のなかから相手が自主的に話すのを待つという形で少しずつ入手していきます。

　また、つぎつぎとただやみくもに関連性のない質問を重ねていくと、一問一答式のやりとりになり、詰問調になってしまいかねません。一問一答式で終わらないためには、たがいに共通する話題を探したほうがよいでしょう。相手の答えにさらに関連した質問を重ねていくと、話をふくらませていくことができます。

　さらに、話の切りあげ方も難しいところです。適度なタイミングを見計らってさりげなく話を切りあげることも雑談においては重要です。

　この課のような会話練習は、タスク先行型の会話の授業ではなかなか取りあげられることがありませんが、学習者が直面する機会の多い場面であると考えられるので、日本語の授業においても積極的に取り組んでいく必要があると思われます。

第1部　第5課

チームで協力！

みんなが協力しあって知識を集め、「ジグソーパズル」を完成させよう！

概要

ジグソー学習：インフォメーション・ギャップを利用し、チームメンバーのそれぞれの情報をジグソーパズルのピースのように集めて、全体像を知るために協力せざるをえないという教室環境を設定する。

基本活動：短編のミステリー小説を分割し、チームのメンバー全員がそれぞれ別の情報を提供する者となって協力して読み、結末を推理する。

応用活動：「外国人のための日本語」についてのいくつかの意見文を、メンバーが協力して読んで理解し、どんな「日本語」を学びたいかをチームで話し合い、その成果を個人個人が文章にまとめる。

目的

自分の役割を明確に持って、議論に参加できるようになる：それぞれが果たすべき責任を持って、話せるようになる。

理解したことをほかの人にわかりやすく説明できるようになる：自分の言葉で仲間に説明することによって、さらに理解が深まることを実感する。

レベル　　基本活動：中級後半〜　　応用活動：上級前半〜

時間　　　基本活動：45分×2　　応用活動：45分×3

人数　　　基本活動・応用活動：いずれも4人以上（4人のグループ×グループ数）

準備　　　基本活動：基本活動ワークシート1〜4をグループ数分、5を人数分
　　　　　　応用活動：応用活動ワークシート1、6を人数分、2〜5をグループ数分

基本活動の手順

進め方	留意点
1. 導入（5分） • 「短編ミステリー小説をチームで協力して読もう」と、授業の目的を伝える。	
2. グループ分けとワークシート配付（10分） 1. 4人ずつのグループを作る。 2. ワークシート1〜4を、チームの一人ひとりにそれぞれ配付し、活動の概要と手順を説明する。	➡ 普段の仲良しグループではなく必ず人為的に分割する。運用力の差は、あまり考慮しなくてもよい。 ➡ 各自のワークシートの文章は、同じ小説の一部であること、話の流れは1〜4の順にはなっていないことを伝える。
3. 協働学習1（30分） • 同じワークシートを受け持った者どうしで集まり、文章の内容について問題を解きながら考える。あとで自分のグループのほかのメンバーに説明できるように発表の練習もする。	➡ 教師はグループ間を丁寧に回り、学習に困難を感じている学習者に手当てをする。 　話すときの視線や表情、ジェスチャーや声の高さを含めて、説明する練習をする。
4. 協働学習2（25分） 1. 自分のグループに戻り、ワークシート1から順番に4まで、それぞれの担当部分を説明する。 2. その後、ワークシートの正しい順番を推理し、つぎに小説の結末を推理する。	➡ 資料をそのまま読んでしまったのでは、仲間に内容が伝わりにくいこと、反対に自分のよく知っている言葉に置き換えて説明すると伝わりやすいことを伝える。 　聞き手には、説明がわかったときにもわからないときにも、それを話し手にきちんと伝えること、相づちやうなずき、質問や確認のコメント、表情や態度の重要性について、注意をうながす。 ➡ 運用力のレベルによっては、正しい順番の並べ替えを省略し、はじめから正しい順（2→4→1→3）でチーム内での説明をおこない、結末だけを推理させる。

進め方	留意点
5. まとめ（20分） 1. グループごとに推理した結末を、クラスで発表する。 2. ワークシート5を、クラス全員で読む。	

基本活動の実際

協働学習2の場面で

× 悪い例	○ よい例
ワークシート1の担当者：（シートを読みながら）目が覚めると、彼は周囲をきょろきょろと見回した……	**ワークシート1の担当者：**（みんなの顔を見て、視線を一人ひとりに移しながら）：彼っていうのがまだ誰だかわからないけど、寝ていて、目が覚めたときに、こんなふうに（ジェスチャー）きょろきょろ見たんだ。
※シートを読むのではなく、聞き手の顔を見ながらできるだけ自分の言葉で話す。	
話し手：笑おうとしたけど駄目で、転んでしまい、ほてった頬にひんやりしたアスファルトの感触が心地いい…… **聞き手：**……（何も言わず黙って聞いている）	**話し手：**笑おうとしたけど駄目で、転んでしまい、ほてった頬にひんやりしたアスファルトの感触が心地いい…… **聞き手1：**ほてった頬って何？ **話し手：**辞書を見たら、熱くて赤くなっている顔みたい。 **聞き手2：**酔っ払ってるんだよ。私の資料に出てきたよ。 **話し手・聞き手1：**うん、うん、そうだ。 **聞き手3：**酔っ払いすぎて転んで、道路が冷たくて気持ちいいんだ。 **聞き手2：**たしかにアスファルトは冷たい。 **話し手：**それでそのまま眠っちゃったんだ。
※聞き手はただ聞いているのではなく、質問したり自分が持つ情報を提示したりしながら、積極的に説明を聞く。話し手と聞き手のやりとりがあったほうが全員の理解が深まる。	

基本活動ワークシート 1

　「花形営業マンのくせに、だらしねぇぞ、仲井、これぐらいで」
　笑おうとしたが、駄目だった。足がもつれて、路上に転がる。ほてった頬に、ひんやりとしたアスファルトの感触が心地よかった。
＊「こりゃ、いいわ」
　人通りもまばらな裏通りとはいえ、いつまでも寝転がっているわけにはいかない。立ち上がろうとするのだが、＊腰の蝶番がはずれたようで、うまく体を動かせない。まずいんじゃないか、と思いながら、すぅっと意識が遠のいていった。
　どれほど眠っただろうか。目が覚めると、彼は周囲をきょろきょろと見回した。どこで寝たんだっけ？　道路の真ん中で倒れたことは覚えているけれど、それからどうした？　何とかホテルに戻ってベッドにもぐり込んだような気もするのだけれど……。

（有栖川有栖「遠い出張」『ジュリエットの悲鳴』角川文庫）

　＊「こりゃ、いいわ」：「これは、（とても気持ちが）いいな」の意
　＊腰の蝶番：腰の関節。腰を自由に動かすための骨と骨の間の大切な部分

1. 花形営業マンとは、何ですか。
2. 足がもつれて、路上に転がってしまったのは、誰ですか。
3. 1行目「花形営業マンのくせに、だらしねぇぞ、仲井、これぐらいで」とは、誰が誰に言った言葉だと思いますか。
4. なぜ「こりゃ、いいわ」と言ったのですか。
5. どこに寝転がっていましたか。
6. 意識が遠のく、とはどういう意味ですか。
7. 目が覚めたとき、彼は自分がどこにいるのかわかりましたか。
8. 目が覚めたとき、彼は何を覚えていましたか。

1-5 チームで協力！

基本活動ワークシート 2

　北国の公園には、秋色を通り越して冬の気配が漂っていた。厚手のコートでちょうどいい。仲井はテレビ塔が見えるベンチで腰を下ろし、モバイルと携帯電話を接続した。パソコン通信の受信メールを見てみると、本社から何か入っている。面倒なことが起きたのではと案じたが、届いていたのは部長からの*ねぎらいのメッセージだった。ほっとすると同時に、思わず大きな欠伸が出た。

　入社8年目にして初めての*札幌出張は、文句のない成果を収めて終盤にさしかかっていた。新建材*アロマウォールの契約件数、3日間で12。どちらかというとおっとりしたタイプだった前社長が自宅の階段から落ちて急逝し、猪突猛進型の新社長体制になってから営業にきびしく鞭が入るようになったが、これなら胸を張って帰社できる。部員一同に、拍手で迎えてもらいたいくらいだ。

（有栖川有栖「遠い出張」『ジュリエットの悲鳴』角川文庫）

*ねぎらい：相手の苦労にたいする感謝を表すこと
*札幌：北海道の中心の都市
*アロマウォール：新建材の商品名

1. どんな季節ですか。
2. ベンチに座ってパソコンを開けると、誰からメールが届いていましたか。
3. 仲井は、なぜほっとしたのですか。
4. 仲井の出張での「文句のない成果」とは、どういう意味ですか。
5. 仲井の会社の前社長は、どのような人物でしたか。
6. 前社長は、なぜ亡くなったのですか。
7. 今の社長は、どのような人物ですか。
8. 「胸を張って帰社できる」とは、どういう意味ですか。

基本活動ワークシート 3

　屋外にいるようだった。しかし、深い霧があたりに立ちこめていて、ここがどこなのか判らない。舗装された道に転がったはずなのに、体の下にあるのが柔らかい土の地面なのが解せなかった。様子が変だ。いったい何時なんだ、と腕時計を見ようとしたら、ひび割れて壊れていた。転倒したはずみにやってしまったらしい。濃霧のため、夜明けが近いのか、すでに朝なのかも定かでない。
「まずい！　昨日の夜、報告してねぇぞ」
　彼は部長あてにメールを送ろうとした。朝一番で届いていないと、機嫌が悪いからだ。
　しかし、通じない。何度かけても電話がつながらない。
　何かおかしい。途方もなく、変だ。
「そこにいるのは仲井くんじゃないのか？」
　霧の向こうから呼びかけられた。やがてぼんやりと姿を現した人物を見て、彼は電話を取り落とした。

（有栖川有栖「遠い出張」『ジュリエットの悲鳴』角川文庫）

1. ここはどんな天気ですか。
2. 転んだ場所と、今いる地面とは、どのように違いますか。
3. なぜ何時かわからないのですか。
4. 夜なのか朝なのかわからないのは、どんな天気のためですか。
5. この人は、なぜ「まずい！」と思ったのですか。
6. 部長に報告のメールを送ることができましたか。
7. 部長への電話がつながりましたか。
8. 彼はなぜ電話を取り落としたと思いますか。

基本活動ワークシート 4

　午後からもう2件ほど注文が取れそうだし、今夜はがんばった自分へのごほうびとして、*すすき野で*はめをはずしてやろう。せっかくこんなに遠くまで出張にきているんだし、多少は経費も浮きそうだし。そうと決まれば、残る仕事をさっさと片づけてしまおう。彼はモバイルをコートのポケットにしまって、アポイントメントの確認の電話をかけ始めた。
　そして、10時間後。
　午後に3件の仮契約を得られた彼は、自分との約束どおりにネオンの海を泳いで痛飲し、鼻歌まじりに宿泊先のビジネスホテルへと歩いていた。仕事はやりやすいし、入った店では女の子にずいぶんともてたし、札幌出張って最高だな、と浮かれているうちはよかったのだが、突然、視界が大きくぶれた。ふだんの量をはるかに越して飲んだため、足にきたようだ。

(有栖川有栖「遠い出張」『ジュリエットの悲鳴』角川文庫)

*すすき野：北海道の中心都市、札幌の繁華街で、店や人が多く集まるにぎやかな場所
*はめをはずす：自由な気持ちになって、いつもの程度を超える（この場合、たくさん酒を飲んで遊ぶ）。

1.「自分へのごほうび」とは、どういう意味ですか。
2. 夜になったら、この人は、どこで何をするつもりですか。
3.「アポイントメントの確認」とは、誰とのアポイントメントですか。
4. 彼は、午後にどのような仕事をしましたか。
5. 仕事が終わったあと、「ネオンの海を泳いで痛飲」とはどういう意味ですか。
6. 今はどこに向かって歩いていますか。
7.「札幌出張って最高だな」と思ったのは、なぜですか。
8.「足にくる」とは足がふらふらして倒れそうになることですが、それはなぜですか。

基本活動ワークシート 5

「しゃ、社長！」
　事故で死んだはずの前社長が立っていた。
「無茶はいかんよ。あんなことをしたら車に轢いてくれと言うのも同然だ。可哀相に。まだ30そこそこの若さだったというのに」
　自分は死んだのか？　とすると、霧に包まれたここは、元いた世界ではなく……
　落とした電話を見つめる彼に、前社長は、
「通じんだろう。圏外だからな」

（有栖川有栖「遠い出張」『ジュリエットの悲鳴』角川文庫）

応用活動の手順

全員でワークシート1を読み、理解する。そのあとは基本活動の手順と同様。

応用活動の実際

基本活動と異なる点
- 基本活動は一つの小説を分割したが、応用活動では、一つのテーマ「外国人のための日本語」にかんして異なる書き手が書いた文章を読み、そのテーマについてグループの仲間と話し合う。
- 導入部でワークシート1を全員で読む。そのさい、記事が掲載された1988年の時代的な背景（バブル経済、日本語学習者と日本に入国する外国人の急増、留学生10万人計画（1983年）、日本語能力試験開始（1984年）など）を説明する。
- 活動のまとめとしてワークシート6を記入する。協働学習2が終了したら、設問の1と2を個人で書き、その後3の話し合いをおこない、その内容も踏まえて4にまとめる。

協働学習1の場面で

× 悪い例	○ よい例
（一人ひとりで辞書を使いながら、みんなが黙ったまま読み進めてしまう）	A：……みんな、読めた？ B：一応読んだけど、わからないところも結構あったよ。 C：じゃ、最初から音読してみよう。私から読むね。「私は商社を退職後、日本語教師として各国で教べんをとってきた。」 A：ちょっと待って。「教べん」って何？ B：辞書、辞書。 C：うん。でもこれはたぶん教えるってことじゃない？　日本語教師として。

※できれば輪読が望ましい。しかし、最初はそれぞれがワークシートを黙読しても、数分したら協力して最初から読み、質問に答えながら理解していくよう教師はうながす。

応用活動ワークシート 1

外国人のため簡約日本語"発明"へ　国立国語研、3年がかりで

(朝日新聞1988年2月26日より)

　海外での日本語学習熱の高まりに合わせ、文部省の国立国語研究所(野元菊雄所長)が近く、外国人のための「簡約日本語」づくりに着手する。日本人でさえまごつく文法上の決まりごとや、言葉、文字を、初めて学ぶ人の身になって見直し、思い切って簡単にする試み。3年がかりで簡約語を作り、これを使った読みものなどの教材を実際に編集することにしている。(中略)

　日本の国際進出に伴い、外国人の日本語学習者が急速に増え、推定50万人に及ぶとみられている。これに合わせて、様々な日本語教科書が作られ、出回っているが、独特の敬語の使い方や、漢字やひらがなの組み合わせを外国人に理解しやすく説明することはむずかしい。このため、途中で習得をあきらめる外国人が少なくない。「日本語はむずかしい」とのイメージも根強い。

　国語研究所の試みでは、発想を大きく変え、複雑な日本語に少し「加工」を施し、外国人の頭にすっと入るように体系化する。(中略)

　野元所長の腹案によると、簡約化のポイントとして、(1) 語尾は「です」「ます」調に統一する (2) 外国人にはむずかしい動詞(例、「書く」)の様々な活用は、原則として「ます」に連なるものに限る(例、「書きます」) (3) 動詞を中心に約1000語を目安に基本の使用語を決める。(中略)基礎をマスターしたら、次の1000語を与える (4) 言葉の意味は1語につき3つまでにする (5) これらの言葉を言い表す範囲で漢字も教える――などが考えられている。

●「北風と太陽」の場合　いずれも野元所長の訳
＜通常の日本語＞　まず北風が強く吹き始めた。しかし北風が強く吹けば吹くほど、旅人はマントにくるまるのだった。遂に北風は、彼からマントを脱がせるのをあきらめた。
＜簡約日本語＞　まず北の風が強く吹き始めました。しかし北の風が強く吹きますと吹きますほど、旅行します人は、上に着ますものを強く体につけました。とうとう北の風は彼から上に着ますものを脱ぎさせますことをやめませんとなりませんでした。

(大学共同利用機関法人人間文化研究機構国立国語研究所所蔵)

応用活動ワークシート 2

「簡約日本語」、期待したい　　　　　　　　　　　　　　　Pさんの意見

　私は商社を退職後、日本語教師として各国で教べんをとってきた。現在はマレーシアに赴任し、現地企業の技術者たちに日本語を教えている。
　国立国語研究所が提案した「簡約日本語」の記事を読んだが、いいアイディアだと思う。日本語を学ぶ外国人のために、日本語の文法、ことば、文字を思い切って簡単にするという。私の周りの学習者たちも、「日本語は難しすぎる」と言って途中であきらめてしまう人が多い。とくに、漢字を使わない国の学習者には、漢字学習の負担が大きい。だから、限られた語彙数で言い表せる範囲の漢字が理解できればいいというのは現実的だし、外国人学習者の「日本語離れ」を食い止めることができる。
　商社マン時代にも感じたことだが、英語も、アメリカ人やイギリス人のように話す必要はなく、通じて使えることが大切なのだ。少ない語彙、簡単な文法であっても、意図は相手に十分伝えられる。日本語も同じだと思う。難しい文法や語彙をなくし、外国人の学びやすい日本語を作っていくことは、国際社会に生きる私たち日本人にとって避けられない。国立国語研究所の今後の報告を期待したい。

1. Pさんは現在、どこでどのような仕事をしていますか。
2. 日本語学習者が日本語学習を途中でやめてしまう理由を、Pさんはどのように考えていますか。
3. 日本語学習でとくに負担が大きいのはどんなことだと、Pさんは考えていますか。
4. Pさんは、どんなことが「現実的だ」と言っていますか。
5. 「『日本語離れ』を食い止める」とは、どのような意味ですか。
6. Pさんは、なぜアメリカ人やイギリス人のような英語を話す必要がないと考えていますか。
7. 「日本人にとって避けられない」のはどんなことだと、Pさんは考えていますか。
8. Pさんは「簡約日本語」の開発に賛成ですか、反対ですか。その理由も説明してください。

応用活動ワークシート3

自然な日本語を学びたい　　　　　　　　　　　　　　　Qさんの意見

　私は日本で働く外国人です。今まで日本語を一生懸命勉強してきた私は、今回「簡約日本語」の記事を読んで、少し残念な気持ちになりました。
　「簡約日本語」は外国人のために「加工」したやさしい日本語だということです。たしかにたくさんの漢字や複雑な敬語は、私にも難しいものです。しかし、私は、言葉は文化だと思っています。人工的に「加工」された言葉は、日本人が長い時間をかけて作ってきた日本語の美しさや奥深さを、奪ってしまうのではないでしょうか。
　また、さらに心配なことは、この「簡約日本語」を学び、使う外国人を、日本人がどう思うかということです。「脱ぎさせますことをやめませんとなりませんでした」などの例文が記事に出ていましたが、外国人の私が読んでも違和感があります。もし、このような日本語を話す外国人がいたら、日本人はその外国人をバカにしたり低く見てしまったりするのではないでしょうか。そういうことが心配です。私は自分の子どもには、「簡約日本語」ではなく、日本人が自然に使う日本語を学ばせたいと思います。

1. 「簡約日本語」の記事を読んだQさんは、どんな気持ちになりましたか。
2. Qさんは日本語のどんなことが難しいと思っていますか。
3. Qさんは、「加工」された言葉が自然な日本語から何を奪うと考えていますか。
4. Qさんは「簡約日本語」の例文にたいして、どんな思いを持ちましたか。
5. 「バカにする」とは、どういう意味ですか。
6. Qさんは、日本人が、「簡約日本語」を使う外国人にたいしてどのような態度をとると心配していますか。
7. Qさんは、自分の子どもにどのような日本語を学ばせたいと考えていますか。
8. Qさんは「簡約日本語」の開発に賛成ですか、反対ですか。その理由を2点にまとめて考えてください。

応用活動ワークシート 4

いろいろな日本人、いろいろな日本語

(林さと子「クリティカルに日本を考える」
鈴木健他編『クリティカル・シンキングと教育』世界思想社2006より)

　ある日本語スピーチ大会でのことである。「日本人のように話せるようになりたい」と思ってがんばった留学生のスピーチがあった。そのAさんは、アナウンサーになるための練習にあるような早口言葉なども「日本人」顔負けというほどにがんばったとのこと。「青巻紙、黄巻紙、茶巻紙」と実演を交えて表情豊かに話す留学生だった。だが、Aさんは練習していて、ふと変だなと気づく。日本人にもいろいろな日本語を話す人がいるのに、自分はなぜこんな練習をしているのだろう。アナウンサーになりたいわけではないし……。自分の国にもいろいろな方言を話す人がいるではないか。自分らしい日本語で自分の言いたいことを表現できれば、それでよいのではないか。「もっとお国なまりを楽しもう」という締めくくりの言葉に会場からは大きな拍手がわいたのだった。それは、このスピーチが、多くの学習者がどこかで感じていることを代弁したものだったからだと考えられはしないだろうか。

1. 留学生のAさんは、どんな目標を持ってがんばったのでしたか。
2. Aさんは、アナウンサーになるために早口言葉の練習をしたのですか。
3. Aさんは早口言葉の練習中、どんなことに気がつきましたか。
4. 「自分らしい日本語で自分の言いたいことを表現できれば、それでよいのではないか」とは、どんな意味ですか。
5. Aさんのスピーチの結論は、どんな言葉でしたか。
6. 「お国なまり」とは、何ですか。
7. 筆者(林さん)は、Aさんのスピーチに大きな拍手があったのは、どうしてだと考えていますか。
8. ここには簡約日本語について何も述べていませんが、仮定として、筆者(林さん)やAさんは、簡約日本語についてどんな立場だと思いますか。想像してみてください。

応用活動ワークシート5

「正しい日本語」は日本語教育の場で否定されるべきなのか

(前田均2002『日本語・日本文化研究』vol.9
京都外国語大学pp79-98より。一部変更)

(前略)「正しい日本語」の問題性には私も異論はない。ただ「我が愛する日本語を破壊して使わないでくれ。」という日本語話者が出てきたらどうするか。「日本語」ではナショナリズムのにおいがして、嫌がられるかもしれないので、方言の例を挙げよう。

テレビドラマで、出演者が下手な関西弁を話すことがある。私はそれを聞くたび、「我が愛する関西弁を破壊して使わないでくれ。」といつも思っている。つまり、「正しくない関西弁」の排除、否定である。(略)これは、私の一部である関西弁を破壊することは私を破壊することである、という思いからである。とすると日本語にアイデンティティを強く持っている人が「正しくない日本語」を排除することも認めなくてはならないだろう。

実例を挙げると、NHKドラマに出演していた俳優Aの関西弁はひどかった。(略)それにひきかえ俳優Bの関西弁はうまかった。俳優Bは台本にアクセント記号をつけ、練習したのだと言う。つまり、努力すればできるし、それは俳優の義務であろう。これは俳優Aが関西弁を軽視していることの現れであるが、とすると、「正しくない日本語」を使う外国人は日本語を、ひいては日本人を、日本を軽視しているのではないか。(後略)

1. ナショナリズムとは、どういう意味ですか。
2. 筆者(前田さん)の出身地は、どこだと思いますか。
3. 筆者(前田さん)がテレビドラマを見て不愉快になるのは、どんなことですか。
4. 筆者(前田さん)は、何を排除、否定したいと考えていますか。
5. それはなぜですか。
6. 俳優Aの関西弁が下手だった理由を、筆者(前田さん)は、なぜだと考えていますか。
7. 俳優Bの関西弁が上手だった理由を、筆者(前田さん)は、なぜだと考えていますか。
8. 「正しくない日本語」を使う外国人について、筆者(前田さん)はどんなことを考えていますか。

応用活動ワークシート6

氏名：＿＿＿＿＿＿＿＿＿＿

1. あなたが担当した意見のタイトルと、その意見の要約を書いてください。

意見のタイトル	
その意見の要約	

2. あなたが担当した意見に、反対すると思われる意見は、どのようなものでしたか。

反対意見	1. 2.

3. どのような日本語を学びたいか、どのような日本語を使いたいか。チームの仲間と話し合ってください。

4. どのような日本語を学びたいか、どのような日本語を使いたいか、ということについて、担当した意見、仲間からのほかの情報、仲間との話し合い、あなた自身の体験、などを総合して、今、考えていることを書いてください。

1-5 チームで協力！

コラム

ジグソー学習について

　1970年代、アメリカでは、人種統合政策によって、白人と黒人の子どもたちが急にともに同じ教室で勉強することになりました。そこでは同じ人種の子どもたちだけが固まってグループ化してしまい、その結果として人種間のさまざまな離齬や誤解、そして衝突と混乱が起こりました。そんななかで社会心理学者のアロンソンは、クラス内に存在する異文化間の偏見や否定的な評価を克服することを目指して、ジグソー学習法を考案したのでした。いつもの仲良しグループの仲間ではなく、自分とは違った価値観や文化的背景を持っていそうな人たちと、協力しあわざるをえないような状況をクラス内に設定するのです。一人ひとりの子どもたちがそれぞれにかけがえのない情報供給源となり、たがいに信頼しあわなければ学習が先に進まないような教室にするのです。それは、人種的な差別や偏見の存在する社会を、教育によって変革することまで射程していたと言えるでしょう。アロンソン等は、小学校において6か月にわたって、ジグソー学習を実施したクラスと実施しなかったクラスの差を調査しました。実施しないクラスでは、教師の講義形式による伝統的な授業がおこなわれました。その結果、ジグソー学習法の効果としてつぎの点が報告されています。

- 子どもたちどうしが相互に好意を持ちあう。
- 学校が好きになり、欠席が減る。
- セルフエスティームが高まる。
- 競争的な感情が減少する。
- 「他者から学ぶことができる」という意識が強まる。
- 学業成績が向上する。
- 他者と共感する能力、他者の目をとおして世界を見る能力が向上する。

　今回、本書では短編小説と新聞記事などを使いましたが、エッセーや説明文でも応用できます。その場合、最後の段階で学習者が「協働学習の成果」を実感できるような工夫が必要です。たとえば、内容把握のクイズ、チームで1本短いレポートを書く、などの活動です。また、上級レベルや「日本事情」のような授業なら、一つのテーマのもとに、ジグソー学習での協働学習が可能です。たとえば、「お札のヒトを知る」というテーマのもとで、福沢諭吉の全体像を知るために、チーム内で「生い立ち係り」「語学係り」「脱亜入欧係り」「学問のススメ係り」「プライベートライフ係り」などの仕事を分担し学習し、教えあい、最終的には一人1本ずつのレポートを作成する、などの活動が可能です。

第2部 第1課

ウソを見破れ！

聞き手の理解や反応を意識して話し方を決めよう！

概要
ウソをつかせる活動とは：聞き手に見破られないようにウソをつくという活動をとおして、聞き手の理解や反応を意識して話すことの重要性を認識させる。

基本活動 (ウソを見破る)：話し手が自分自身のことについて語る四つの話のうち、どれがウソの情報か、聞き手が推測し、当てる。

応用活動 (架空面接)：架空の就職活動の面接で、志願者が面接官に自己アピールをおこない、面接官がどのアピールがよいかを選ぶ。

目的
聞き手の理解を想定して情報を取捨選択できるようになる：何をどこまで伝えたら、聞き手が話し手の言葉を理解できるかをモニターし、それに応じて情報の取捨選択ができるようになる。

聞き手の質問にたいして一貫して応対できるようになる：自分の話した内容にたいし、聞き手に質問されても、ウソを見抜かれないように適切に応対できるようになる。

レベル
基本活動：初級後半〜　**応用活動**：中級前半〜

時間
基本活動・応用活動：いずれも45分

人数
基本活動：3人以上 (3〜4人のグループ×グループ数)
応用活動：3人以上 (3〜6人のグループ×グループ数)

準備
基本活動：基本活動ワークシートを人数分
応用活動：応用活動ワークシートを人数分

基本活動の手順

事前準備：自分の体験のうち、クラスメイトにまだあまり話したことのない「ウソのような本当の話」と「本当のようなウソの話」をいくつか考えてきてもらう。

進め方	留意点
1. 活動の説明（5分） 1. 3〜4人のグループを作る。 2. ワークシートを配付し、活動内容の簡単な説明をおこなう。	➡ 親しい友人が同じグループに入ることは避ける。おたがいに何でも知っている可能性があるとウソがつきにくいし、ウソをついてもばれやすいからである。 ➡ ワークシートはあくまで例なので、教師自身が自分でも話のメモを作って実演できると一層よい。
2. 話のメモを作る（10分） • 自分が経験したウソのような本当の話を三つ、本当のようなウソの話を一つ考え、それを簡単なメモにする。	➡ メモは簡単なものでよい。その場で考えていると、時間が足りなくなる可能性があるので、授業時間が短い場合は、学習者に前もって考えてきてもらうことが望ましい。
3. ウソを見破る（10分） 1. 出題者は用意した本当の話三つとウソの話一つをグループのなかで披露する。 2. 残りのメンバーは質問をして、どれがウソか当てる。 3. 出題者は最後にどれがウソか明かす。	➡ 質問は1人一つで、前の人の質問と違う、あるいは深める質問をする。そして、質問にたいする出題者の回答を手がかりに、残りのメンバーは、どの話がウソか、判断の根拠とともに1人ずつ発表する。
4. 役割を交替する（15分） • 役割を交替して、ウソを見破る活動を続ける。	➡ 出題者は日本語力の高い者から始めたほうがよい。そうすれば、残りの学習者が話の披露の仕方を参考にできる。

進め方	留意点
5. フィードバック（5分） • どのようにしてウソが見抜けたか、また、ウソのうまい人の話し方にはどのような特徴があったかを全体で話し合う。	➡ この課の目的はあくまでも的確な言葉の伝え方にあるので、議論が、上手なウソのつき方にではなく、上手な情報の伝え方に収斂するように工夫する。

基本活動の実際

出題者の話はそれらしく：

この活動は、ウソが簡単に見抜かれてしまうと、意味を失う。そのため、本当の話は、クラスメイトにまだ話したことがない内容にすること、日常生活から容易には想像できない内容にすることが大切である。一方、ウソの話も、あまりに露骨なウソはすぐ見破られるので、ありそうで、なさそうな、もっともらしいウソを考える必要がある。

質問者の質問は的確に：

質問者の質問は各自1回だけである。そこで、短く、かつ、ポイントを突いた質問を考える必要がある。出題者は、質問者の質問に、できるだけ長くくわしく答えるようにする。

× 悪い例	〇 よい例
私が今つきあっている人は日本人です。	私が初めてつきあった人は日本人でした。
※クラスメイトが知っている可能性がある内容は避けたほうがよい。また、プライベートな内容は、現在のことよりも過去のことのほうが望ましい。	
私は今アパートに住んでいます。	私はテントのなかで1人で2週間暮らしたことがあります。
※日常的で、ほかのメンバーも簡単に想像がつくような内容では、活動が盛りあがらないおそれがある。	
私はスキーでケガをすることが多く、毎年のように手術しています。	スキーでケガをして、2回手術したことがあります。
※あまりにも大げさなウソは、すぐにウソだとわかってしまうので、ありそうな程度に留めるのがよい。	

× 悪い例	○ よい例
A：私は宝くじに当たったことがあります。 B：本当ですか。	A：私は宝くじに当たったことがあります。 B：いくら当たりましたか。

※質問者は、本当かウソかを見抜く手がかりになるような質問をすることが望ましい。そのためには、出題者が具体的に答えざるをえないような質問をするとよい。

A：私は竜巻をすぐそばで見たことがあります。 B：どんな竜巻でしたか。 A：大きな竜巻でした。	A：私は竜巻をすぐそばで見たことがあります。 B：どんな竜巻でしたか。 A：30階建てのビルくらいの高さで、緑色と茶色が混じったような色をしていて、上のほうが大きく広がっていました。

※質問者とは反対に、出題者はできるだけ長くくわしく説明するように指導する。それ自体が練習であるし、短い回答だと、質問者は本当かウソかを見抜く手がかりがまったく得られなくなるからである。

A：私の姉は2年まえに日本人と離婚しました。	A：私の姉は2年まえに日本人と結婚しました。

※深刻な内容は、ウソであっても本当であっても、たがいに気まずくなるので避ける。

A：私は1万2千円落としたことがあります。（本当は1万円落とした場合）	A：私は1万円落としたことがあります。（本当に1万円落とした場合）

※いくら見抜かれないためとはいえ、本当かウソか、あまりにも微妙なウソは活動をしらけさせるのでやめたほうがよい。

基本活動ワークシート

●活動例と質問のポイント

①私は宝くじに当たったことがあります。

→いくら当たりましたか。

→どこで買いましたか。

→そのときの番号は何番でしたか。

→その当たったお金を何に使いましたか。

②私は子どものころ犬にかまれたことがあります。

→何歳のときかまれましたか。

→どこでかまれましたか。

→どんな犬にかまれましたか。

→今でも犬が怖いですか。

③小学生のときのあだ名は「きなこちゃん」でした。

→「きなこ」というのは、どういう意味ですか。

→どうして「きなこちゃん」なんですか。

→誰がつけたんですか。

→そのあだ名を小学生のときどう思いましたか。

④私は富士山に登ったことがあります。

→富士山のそばまで、何で行きましたか。

→登るのに何時間ぐらいかかりましたか。

→季節はいつでしたか。

→山の上からは何が見えましたか。

応用活動の手順

事前準備：就職活動をするとき、自分ならどのような自己アピールをするか、あらかじめ考えてきてもらう。そのアピールは、事実と、事実を誇張したウソを交える。

進め方	留意点
1. 活動の説明（5分） 1. 3〜6人のグループを作る。	➡ 志願者は、比較できるよう、かならず複数置く。評価も人によって異なるため、面接官も複数置くことが望ましい。面接官2人に志願者が3〜4人が理想的である。
2. ワークシートを配付し、活動内容の簡単な説明をおこなう。	➡ 就職活動は業種によって異なるため、業種はあらかじめ特定する必要がある。
2. アピールのメモを作る（5〜10分） • 自己アピールを箇条書きにしたものを準備する。	➡ メモは簡単なものでよい。アピールの内容は、事実と、ウソにつながる誇張、両方を入れるようにする。
3. 自己アピールをする（5分〜10分） 1. メモをもとに、志願者役の学習者が自己アピールをおこなう。 2. アピールの合間に、面接官役の学習者が、自己アピールの信憑性を確かめる質問をする。	➡ ウソを見抜くという点では、基本活動と同じである。面接官は、志願者の自己アピールにウソがないかどうか、具体的な質問をとおして逐一チェックする。
3. 志願者役の学習者は、その質問にたいして返答する。	➡ 志願者は、ウソが見抜かれないように、自己アピール内容の一貫性を保ち、面接官の質問に上手に返答する。
4. 志願者役を交替する（10〜15分） • 志願者役を順に交替し、引き続き自己アピールとその質疑をおこなう。	➡ 残りの学習者が最初の学習者のやり方を参考にできるように、志願者役は日本語力の高い者から始めたほうがよい。

進め方	留意点
5. フィードバック（5〜10分） • どのようにしてウソが見抜けたか、また、ウソのうまい人の話し方にはどのような特徴があったかを全体で話し合う。	➡ この課の目的はあくまでも的確な言葉の伝え方にあるので、議論が、上手なウソのつき方にではなく、上手な情報の伝え方に収斂するように工夫する。

応用活動の実際

自己アピールは現実的に：

志願者が面接のときにする自己アピールはすべて本当である必要はない。アピールに値しないようなことは大げさに言ってもかまわないし、クラスメイトにあまり知られたくないことについてはウソを適当に交えてよい。ただし、本人とあまりかけ離れた設定にしてしまうと、いかにも作り話のようになってしまうので、自分自身の本当の経歴も部分的に入れ、また、ウソも事実を誇張したものや、現実にありそうなものにする。

質問は具体的に：

人事の採用担当者は、志願者のウソを見抜くために、自己アピールの真偽を確かめる的確な質問をする。面接官役の学習者も、志願者役の学習者のウソを見抜けるように、可能なかぎり具体的な質問をして、志願者役の学習者に詳しい説明を求めるように努める。

× 悪い例	〇 よい例
A：私は大学院の博士課程を修了し、「建前論の誕生と変遷—1950年代を中心に—」という博士論文を書きました。	A：私は、学部では日本文化論を専攻し、「ブログに見る日本人の本音と建前」について研究しました。
※博士号を取得した人の就職先はおのずと限定されるし、面接官との議論も難しくなる。あまり極端な設定はしないほうがよい。	
A：休みの日は、映画を見たり音楽を聴いたりしています。	A：私はアニメが好きで、スタジオ・ジブリの映画をすべて3回以上見ています。
※自己アピールは、ほかの人との差別化を図るものだから、誰でもできそうな内容は避け、その人の顔が見える個性的な内容にする。	

× 悪い例	○ よい例
A：大学の囲碁部のメンバーとして、部に貢献しました。 B：囲碁部ではどんなことをするのですか。	A：大学の囲碁部のメンバーとして、部に貢献しました。 B：あなたは囲碁部にどのような貢献をしたのですか。

※自己アピールでは、自信のない人ほど、ぼかした言い方になる。そこで、面接官はできるだけ具体的に質問し、エビデンスを示させることで、そのぼかした言い方を具体的にするように求める。

× 悪い例	○ よい例
A：○○ゼミの代表として、ゼミのなかの人間関係をまとめました。 B：○○ゼミは何を勉強するゼミなのですか。	A：○○ゼミの代表として、ゼミのなかの人間関係をまとめました。 B：○○ゼミは何人ぐらいのゼミで、どのような活動をしているのですか。

※大学のゼミと言っても千差万別である。2人しかいないゼミや、時間割通りにしか活動しないゼミでは、あまり人間関係をまとめたことにはならない。

× 悪い例	○ よい例
A：授業のない日は引っ越しのアルバイトをして、自分で学費を稼ぎました。 B：アルバイト代は一月いくらぐらいでしたか。	A：授業のない日は引っ越しのアルバイトをして、自分で学費を稼ぎました。 B：そのアルバイトをとおして、あなたはどんなことを学びましたか。

※採用のための面接なので、採用にかかわる情報を引きだすようにしたい。

2−1 ウソを見破れ！

応用活動ワークシート

●自己アピール例

- ○○出身の○○です。高校までは母国で学びましたが、日本に憧れて新宿の日本語学校に入り、そこで1年勉強してから、今の大学に入りました。

- 日本語は高校のときから勉強を始め、日本語学校を卒業するときには日本語能力試験N2を取得しました。

- 私は、一つのことを長く続けるのが好きです。特技はバイオリンで、幼稚園のころに始めました。受験のときも辞めませんでしたし、日本に来てからもオーケストラ部で練習を続けました。

- 性格は、自分が正しいと思ったことははっきりと言い、その言葉に責任を持つタイプだと思います。私は日本に来てからずっとコンビニエンス・ストアでアルバイトをしています。入った日に、私は店長のまえで「きたないコンビニですね」と言ってしまいました。そのときは怒られ、反省しましたが、その後、仕事が終わったあと、きちんとお店を掃除してから帰るようにし、店長の信頼を得ることができました。

- 御社の営業という仕事は私に向いていると思います。部員の多いオーケストラ部でもほとんどすべての人と話したことがありますし、コンビニエンス・ストアでも地元のお客さんと何人も知り合いになりました。知らない人と新たに人間関係を作るのはとても好きだし、やりがいもあります。

コラム

協調の原理
四つの原則

　グライスの協調の原理は、語用論の基礎となった考え方として、よく知られています。

　グライスは、人は、質の原則、量の原則、関係の原則、様態の原則という四つの原則を守って会話をすることで、コミュニケーションが成立していると考えました。

　質の原則は「正しいと思っていることを言う」という原則です。ウソをつくことは、この原則に反します。

　量の原則は「情報に過不足がないように言う」という原則です。余計なことを言ったり、必要なことを言わないことは、この原則に反します。

　関係の原則は「関連性のあることを言う」という原則です。相手の話と無関係のことを言うのは、この原則に反します。

　様態の原則は「明確に言う」という原則です。わかりにくく、あいまいに言うのは、この原則に反します。

原則の違反

　今回の課題は、ウソをつくことです。これは、直接的には質の原則に反します。ただ、採用面接の例で見られるように、広い意味でのウソは、量の原則、関係の原則、様態の原則にも反することもあります。

　たとえば、採用側にとっては必要な情報であっても、求職者側は、自分にとって不利な情報は隠すでしょう。その意味では、量の原則の違反が起きています。また、採用側が求めていない情報でも、求職者側は有利だと判断すれば、ともかく自己アピールをそこに結びつけるという関係の原則違反をあえて犯すでしょう。また、誇張して自己アピールせざるをえない内容では、様態の原則に反したあいまいな話し方をすることもあるかもしれません。

　今回の課題は、原則違反をするという課題をとおして、私たちが暗黙のうちに従っている協調の原理、すなわちコミュニケーションの前提を学習者に意識させることに主眼があります。その前提を意識化することによって、聞き手により伝わる言葉を選ぶことが可能になるのです。

第2部 第2課

話し方とキャラクター
相手のタイプを考えて話してみよう！

概要
コミュニケーションのタイプとは：人間の性格がそれぞれ異なるように、コミュニケーションのタイプも人によって異なる。この課では、自分と相手のコミュニケーションのタイプを知り、それをもとに話す練習をする。

基本活動：コミュニケーションにおける自分のタイプを知り、同じタイプの人どうしで集まって、ある状況ではどのように言うか、どのように言われるとうれしいかなどを話し合う。

応用活動：相手のタイプを考えて、相手に配慮した話し方を考えて実践する。

目的
自分のタイプを知る：グループでの話し合いをとおして自分がどのようなコミュニケーションのタイプかを知る。

相手のタイプに合わせる：相手のコミュニケーションのタイプを考えて、話し方を変えられるようになる。

レベル
基本活動：初級後半〜　　**応用活動**：中級前半〜

時間
基本活動・応用活動：いずれも 45 分

人数
基本活動：4人以上（なるべく10人以上が望ましい）
応用活動：2人以上（2人のペア×ペア数）

準備
基本活動：基本活動ワークシート1、2とコラムを人数分
応用活動：応用活動ワークシートと名札を人数分
　　　　　　名札の代わりに事務用の丸い色つきシール（4色分準備）やふせん（4色分準備）を使用してもよい。

基本活動の手順

進め方	留意点
1. タイプ分けをおこなう（5分） 1. この時間の目的について説明する。 2. ワークシート1に記入させ、どのタイプだったかを聞く。	➡「目的」の一つ目を参照。 ➡ 日本語のレベルによってはチェックシートの文を理解するのに時間がかかることもある。そのような場合は、事前に渡して宿題にするとよい。 　チェックの数に同数のものがあった場合（例：Ⅰも五つ、Ⅲも五つ）は、どちらか一つを選ばせる。自分の判断で「どちらかといえばこちらの要素が大きい」と感じるほうでよい。
2. グループ内で意見交換をする（20分） 1. 同じタイプの人でグループを作る。 2. ワークシート2を配付する。 3. ワークシート2を用いて、意見交換をする。	➡ 同じタイプの人で3、4人程度のグループが作れればよいが、偏りが出た場合（例：同じタイプの人が1人しかいない場合）は、どこかのグループに入って意見交換をしてもらう。 ➡ ワークシートに示されている状況が正しく理解できるように、教師が適宜説明を加える。 ➡ 意見交換の例は「基本活動の実際1」を参照。
3. クラス全体で意見交換をする（10分） • それぞれのグループでどのような傾向が見られたかを発表する。	➡ 意見交換の例は「基本活動の実際2」を参照。
4. フィードバック（10分） • コラムを配付し、フィードバックをおこなう。	➡ どのように言われるとうれしいかは、人によって違い、相手のタイプを考えて話すことが大切であることを確認する。

基本活動の実際

1. グループ内で意見交換をする

　意見が同じか違うかだけで終わらせず、「なぜ、いいと思ったか」「なぜ、あまり賛成できないか」など、理由についても意見交換するとよい。

× 悪い例	○ よい例
A：どれがいいと思いましたか。私はイがいいと思いました。 B：私もです。 C：私も。 A：そうですか。みんな同じですね。	A：どれがいいと思いましたか。私は、イがうれしいです。ただ「よかった」と言われても、本当にそう思ってるの？　と思うので、具体的なほうがうれしいです。 B：私もイです。アはちょっと……。気持ちがこもっているのかもしれませんが、「すごい」とかだけだと疑ってしまいます……。 C：私はイかウで迷いました。でもイのほうがうれしいかな……。具体的な例を挙げてくれるほうが、私のことをちゃんと見てくれていることがわかってうれしいです。

2. クラス全体で意見交換をする

「どれがよかったか（賛成できないか）」ということだけではなく、そういう結論に達した理由について、クラスで話し合えるとよい。

× 悪い例	○ よい例
A：私たちのグループは、みんなイが一番いいという意見でした。 教師：ほかのグループのみなさん、何かAさんのグループにたいして、質問や意見はありませんか。 D：私たちのグループは、イはあまりうれしくないという意見が多かったです。 E：私たちのグループは、イがいいという意見も少しだけあったのですが、イよりもウのほうがうれしいということでまとまりました。 教師：そうですか……（どうまとめればよいのだろうか……）。	A：私たちは、イがいいという意見で一致しました。それは、単純な「すごい」とかの言葉でほめられるより具体的に言ってくれたほうがうれしいからです。 教師：みなさん、今の意見にたいして質問や意見はありませんか。 D：私たちはウがいいという人が多かったです。ウも具体的にほめていると思うんですけど……。 A：そうですね。イとウで迷った人もいました。でも二つを比べると、全体的なことをほめられるより、自分のよいところを具体的にわかりやすい言葉で伝えてくれるほうがうれしいので、イがいいという意見が多かったです。 教師：タイプによって、同じほめ方でもずいぶん印象が違うんですね。

基本活動ワークシート 1

Ⅰ～Ⅳのどのタイプにチェックが多いですか。やってみましょう。

Ⅰタイプ

- ☐ 行動的、野心的、エネルギッシュ
- ☐ 自分の思い通りに物事を行うのを好む
- ☐ 決断力あり
- ☐ ペースが速い
- ☐ 人を寄せ付けない印象を与える
- ☐ やさしい感情を表すことは苦手で他者から怖がられる

Ⅱタイプ

- ☐ 行動は慎重
- ☐ 物事に取り組むとき、データを集め分析する
- ☐ 計画を立てるのが好き
- ☐ 客観的、冷静
- ☐ 対人関係では頑固、まじめといわれる
- ☐ 他人を批判することは好まない

Ⅲタイプ

- ☐ アイデアが豊富で想像力もある
- ☐ 人と活気のあることをするのが好き
- ☐ 細かいことはあまり気に留めない
- ☐ 飽きっぽい
- ☐ 社交的でオープン
- ☐ よく話して、あまり聞かない

Ⅳタイプ

- ☐ 人を援助することを好む
- ☐ 職場では協調性が高く、意欲もある
- ☐ 決断には時間がかかる
- ☐ 感情に基づいて判断する
- ☐ 他者の気持ちに敏感
- ☐ ノーと言えない

（株）コーチ・エィが開発したコミュニケーション・スタイルに関する診断テスト「タイプ分け」より許可を得て転載。「Test.jp」(http://test.jp/) にて詳しい診断が可能。

基本活動ワークシート2

●うれしいほめられ方

> あなたは、新製品を開発するプロジェクトを任されました。リーダーとして、10人のメンバーをまとめて、新製品を開発しなければなりません。このような状況で、どのようにほめられるとやる気が出ますか。

ア：わかりやすい言葉でストレートにほめられるとうれしい。「すごい！」「さすが○○さん！」「それ、おもしろそうだな！」「チームをまとめる天才だね。」などのようにほめられるとやる気が出る。

イ：「よかったよ！」「さすがだね。」など、漠然とほめられてもあまりうれしくない。どの点がどうよかったのかを具体的に伝えてくれたほうがうれしい。たとえば、「プレゼンの資料、よくできていたね。とくに、問題点をシンプルにまとめた表、あれはアイデアだね。」などと言われるとやる気が出る。

ウ：上司から自分について直接的にほめられてもあまりうれしくなく、時には不快に感じることもある。「メンバーをうまくまとめているね。」と自分のことを直接ほめてくれるよりも、「君のチームのメンバーは皆行動力があって頼もしい。」のように、間接的にほめられたほうがうれしい。

エ：最後に一度だけほめられるよりも、日常的に頻繁に「よく頑張っているな。」「君にリーダーを任せて正解だった。」「君のおかげでうまくいきそうだよ。」などのねぎらいの言葉をかけてもらえると、やる気が出る。

その他：

※どう言われるとうれしいか、または、あまりうれしくないかなどをグループで話してみましょう。

応用活動の手順

事前準備：基本活動からの続きではなく応用活動のみを単独でおこなう場合は、事前に基本活動のワークシート1を宿題としてやってきてもらい、授業のはじめにコラム（各タイプの特徴）を配付する。

進め方	留意点
1. タイプ分けの確認（10分） 1. 自分のタイプを確認し、タイプ別の名札をつける。 2. それぞれのタイプの特徴について、コラムを用いてクラス全体で確認する。 3. ワークシートを配付する。 4. ペアを作る。なるべく違うタイプとペアになるようにする。	➡ 名札は一目でタイプがわかるようにするためのものである。四つのタイプがわかればよいので、事務用の丸い色つきシールや、ふせんで代用してもよい。 ➡ なるべく違うタイプが望ましいが、同じタイプどうしでも構わない。
2. ペアワーク（25分） 1. 相手のタイプをよく考えたうえで、ワークシートに記入する。「自分が頼むとき」と「自分が頼まれるとき」の両方に記入する。 2. ペアワークの1回目をおこなう。 3. ペアワーク終了後、ワークシートに感想を記入する。 4. 役割を交替して、同様にタスクをおこない、ワークシートに感想を記入する。	➡ ペアワークの例は「応用活動の実際1」を参照。 ➡ 感想の欄には、自分の感想（うまくいった、いかなかったところとその理由）と相手からのフィードバックを書きこむ。
3. フィードバック（10分） • フィードバックをおこなう。	➡ 相手のタイプの違いによって話し方を変えた点や、その結果相手の反応はどうだったかについて、クラスで意見交換をする。フィードバックの例は「応用活動の実際2」を参照。

応用活動の実際

1. AがBに依頼する（Aがアナライザータイプ（Ⅱ）、Bがサポータータイプ（Ⅳ）の場合）

　よい例では相手がサポータータイプであることを考えて話していることがわかる。たとえば依頼も「〜ていただきたい」という形式的なものではなく、「スタッフみんなからBさんがいい！　という声が上がっている」というように、相手のタイプを考えて言い方を工夫している。

× 悪い例	〇 よい例
A：それで今スタッフが足りなくて困っているので、ぜひBさんにスタッフに加わっていただきたいんですけど……。	A：ところで、バスケットが得意なBさんにお力をお借りしたいことがあるんですけど……。
B：えーと……スタッフですか……。バスケットをするほうは得意なんですけどね……。	B：どうしたんですか。
A：会議は週に1回だけです。時間は2時間ぐらいかかりますが、お弁当も出ます。	A：いま、企画をしているんですが、スタッフのなかにバスケットに詳しい人がいなくて、ちょっと困ってるんですよ。それで、ぜひBさんに！　という声がスタッフから上がっているんですけど。

2. フィードバック

　感想を聞くまえに、必ずタイプを確認するようにする。また、依頼をする側とされる側の両方の意見を聞けるとよい。フィードバックのさいは、「どうでしたか」という質問では「難しかった」などの漠然とした答えになりがちであるため、よい例にあるように「よかった点や改善点などはあるか」「予想と違った点について」など、具体的に質問する。

× 悪い例	〇 よい例
教師：AさんとBさんのペア、どうでしたか。 A：おもしろかったです。 B：頭では相手のタイプはわかっていても、実際にどう話したらいいかわからなくて難しかったです。 教師：そうですか。難しいですね。	教師：AさんとBさんのペア、2人のタイプを教えてください。 A：私はプロモーターで、Bさんはサポーターです。 教師：頼んだ側は、どのように頼んで、その結果はどうでしたか。 A：Bさんはサポータータイプなので、「みんながあなたを頼りにしている」というメッセージを出せるようにしました。反応は、まあまあよかったように思います。 教師：予想と違った点はありましたか。 A：いえ、とくになかったです。 教師：ではBさんは頼まれたときにどのように感じたのですか。 B：Aさんの頼み方、とてもよかったです。サポータータイプは助けたい気持ちが強いです。「みんなが私にお願いしたいと言っている」という言葉がうれしかったので引き受けてしまいました。

> 応用活動ワークシート

●手伝いをお願いする

　あなたは、会社（または大学）で来月おこなわれる「スポーツフェスタ」の企画をしています。準備は進んでいるのですが、手伝ってくれる人が足りなくて困っています。そこで、Aさん（あなたのペア）にも手伝ってもらいたいと思っています。Aさんは仕事（または勉強）がとても忙しい人なのですが、ぜひスタッフとして力を借りたいです。相手の性格を考えてお願いしてみてください。

〔あなたのタイプ：Ⅰ・Ⅱ・Ⅲ・Ⅳ　　ペアの相手のタイプ：Ⅰ・Ⅱ・Ⅲ・Ⅳ〕

自分が頼むとき	自分が頼まれるとき
①どんな雰囲気でお願いする？ 　（例：まじめに、楽しそうに　など）	①どんな雰囲気で頼まれたら引き受ける？ 　（例：まじめに、楽しそうに　など）
②どんな表現でお願いする？	②どんな表現で頼まれたら引き受ける？
③断られたらどうする？ 　（例：もう一度チャレンジ、すぐあきらめる　など）	③断りたいときはどうする？ 　（例：返事をあいまいにする、はっきり言う　など）
自分が頼んだときの感想	自分が頼まれたときの感想

2-2 話し方とキャラクター

> コラム

コミュニケーションの四つのタイプ

　コーチングでよく使われる手法として、コミュニケーションのスタイルを四つのタイプに分け、それをもとに、相手に合わせた対応をとる「タイプ分け」という考え方があります。「タイプ分け」は、人はそれぞれ違うコミュニケーションのとり方をするという前提のもとに、自分や相手の理解を深め、コミュニケーションをスムーズにすることに役立ちます。

コントローラータイプ（基本活動ワークシート１のⅠ、２のウ）

　自分の思い通りに物事を進めることが好きなタイプです。行動力があり、野心的であり、決断力もあります。また、人から敬意を表されることも好みます。行動するスピードは早く、他人の話をあまり聞かないという傾向もあるようです。やさしい感情を表すのが苦手で、自分のことをコントロールしようとする人に対しては反発します。

アナライザータイプ（基本活動ワークシート１のⅡ、２のイ）

　アナライザータイプは行動が慎重です。まずはじめにデータを集め、それを分析してから物事を始めるタイプです。計画を立てるのが好きで、物事を客観的に見る傾向があるようです。感情を表すのが苦手で、粘り強く、何事も最後までやり遂げようとする性格です。その反面、失敗に対する恐れを持っており、変化や混乱には弱いタイプです。

プロモータータイプ（基本活動ワークシート１のⅢ、２のア）

　このタイプの人は、自分のオリジナルのアイデアを出すことが大切だと考えています。ですから、仕事では自由に任せてもらえたほうがやりやすいと感じるタイプです。人と、活気があることをするのを好みます。楽しいことが好きで、細かいことにはあまり留意しません。場を盛りあげるのが上手で、自分の話をするのは好きですが、他人の話はあまり聞かないという傾向があるようです。

サポータータイプ（基本活動ワークシート１のⅣ、２のエ）

　人を援助することを好みます。性格は、温かく、穏やかです。ほかの人との協調性を大切にするタイプです。他人の気持ちに敏感で、仕事よりも人間関係を優先させるということがあります。決断したり、断ったりすることは苦手です。自分の行動が認められると安心して、それによりモチベーションが上がります。

参考：(株) コーチ・エィ資料「タイプ分け」より
※「タイプ分け」に関する著作権は (株) コーチ・エィに帰属します。

第2部　第3課

偶然について話す

複雑にからみあう情報を、取捨選択して伝えよう！

📄 概要

偶然について話す活動とは：偶然とは、いくつもの要素（時間、場所、人間関係、タイミングなど）が重なって起こるものである。そのため、偶然について話すことは、複雑な情報のなかから取捨選択し、順序を考えて、わかりやすく話す練習になる。

基本活動（偶然の出来事について話す）：偶然の出来事について、その出来事がいかに偶然であったかが伝わるように話す。

応用活動（今の自分に影響を与えている偶然の出来事について話す）：「人生の転機となった出会い」、「当時はよくないことに思えた出来事」について、それらの偶然の出来事には意味があり、今の自分にとって必要だったということがわかるように話す。

🎯 目的

情報の出し方を意識しながら話す：偶然について話すという活動をとおして、どんな情報をどの順序で出すと効果的かを意識しながら話せるようになる。

必要な情報を選んで関連づけて話す方法を学ぶ：ある偶然の出来事が、今の自分にとって重要な出来事だったということを話す活動をとおして、出来事を関連づけて話せるようになる。

レベル　　基本活動：中級前半〜　　　応用活動：中級後半〜

時間　　　基本活動・応用活動：いずれも45分

人数　　　基本活動：2人以上（2人のペア×ペア数）
　　　　　　応用活動：2人以上（2人のペア×ペア数）

準備　　　基本活動：基本活動ワークシートとコラムを人数分
　　　　　　応用活動：応用活動ワークシートとコラムを人数分

基本活動の手順

事前準備： ワークシート上半分の話の流れの部分のみを書いてくるように指示する。手がかりとして、教師がいくつか事例を話すとよい。

　例：町や空港で知り合いにばったり会った。
　　　飛行機で隣の人と話したら、共通の友人がいることが判明した。
　　　欲しいと思っていたものを、友人がプレゼントしてくれた。　など

進め方	留意点
1. 活動のための準備（10分） 1. 宿題にしていたワークシートを出してもらい、活動の流れを説明する。 2. 偶然の話をするときに使える文法について説明する。	➡ 偶然の話は急には思いだせないことが多いので、必ず宿題にしてワークシートの上半分を書いてきてもらう。 ➡ 説明については「基本活動の実際2」およびコラムを参照。
2. 偶然であることを伝えるには何が大切かを考える（10分） 1. ワークシートの下半分にある話は、偶然の出来事であることが伝わりにくい文章であるということを確認する。 2. この話を「偶然の出来事」にするためには、どんな要素を加えるとよいかを周りの人と考えてもらう。 3. クラスで話し合う。	➡ 偶然を偶然たらしめる要素が何かについて意識させるための活動である。 ➡ 詳細は「基本活動の実際3」を参照。 　作り話であるため「事実がわからないから答えられない」と言ってくる学習者がいることも想定されるが、活動の目的を話し、事実に関係なく自由に考えてもらう。
3. 考えてきた話の流れを見直す（5分） • 各自、宿題で考えてきた話の流れを見直して話すための準備をする。	
4. 偶然の話をする（10分） 1. ペア（A、Bとする）を作る。 2. 教師がフィードバックの観点を示す。 3. 偶然についてAが話す。	➡ フィードバックの観点については「基本活動の実際4」を参照。 ➡ 聞き手はあいづち程度にとどめ、余計な質問をしないようにする。

進め方	留意点
4. 聞き手（B）がフィードバックをする。 5. 今度はBが偶然の話をし、Aがフィードバックをする。	➡ フィードバックをもらったら、ワークシートに改善メモを記入する。
5. 発表とフィードバック（10分） • 数人が全員のまえで発表し、教師がフィードバックをする。	➡ 発表は3人程度を目安とする。 　フィードバックでは、よい点を指摘することが望ましい。

基本活動の実際

1. 活動の流れについての説明

偶然であることを伝えるためにはどんな情報を盛りこむことが大切かを考えたあと、実際に話してみる活動である。

2. 偶然の話をするときに使う文法（参考：コラム）

- 偶然の話に限らず「その話には何か続きの展開がある」ということを示して聞き手に関心を持たせたいときには文末に「〜んです（のだ）」が使われる。このようなタイプの「〜んです（のだ）」は初級では学習しないため、初めて接する学習者が多いと思われる。

- このようなタイプの「〜んです（のだ）」の必要性を説明するためには以下のような例を挙げ、「〜んです（のだ）」を使わないと単なる事実の描写（報道のような感じ）になってしまい、「〜んです（のだ）」を使うことでつぎつぎと関連のある展開が続いていくことが示せるということを説明する。

> 「〜んです」を使わないと……
> 去年、日本人の友達と浅草に行きました。日曜日だったので、大勢の人がいました。浅草寺でおまいりをして、買い物をして、さあ帰ろうかなと思って歩いていたら、国の友達と会いました。彼女とは高校卒業以来5年ぶりに、日本の浅草で会いました。

> 「〜んです」を使うと……
> 去年、日本人の友達と浅草に行った**ん**ですけど、日曜日だったので、大勢の人がいた**ん**ですね。浅草寺でおまいりをして、買い物をして、さあ帰ろうかなと思って歩いていたら、国の友達と会った**ん**です。彼女とは高校卒業以来5年ぶりに、日本の浅草で会った**ん**ですよ。

3. ワークシートを使った話し合い

- たとえば以下のような例が出てくるとよい。「普段しないことをした」というのがポイントである。

  普段はお弁当で、減多に外食しない

  カレー屋のカレーと家のカレーが種類や具材まで同じだった

  兄がカレー嫌いなので家では減多にカレーを作らないが、その日は兄が合宿で不在だった

- つぎのような例は、あまり偶然度が上がらない。

  大学から一番近いカレー屋に行った→距離は関係ない。

  店で激辛のカレーを食べたが、家のカレーも激辛だった

  →辛さは個人の好みによるものなので、偶然度を上げることにはならない。

4. フィードバック

- フィードバックのさいにはつぎの点について話し合えるとよい。（必要があれば板書する。）

  ①一番重要だと思ったフレーズ（これを聞くと偶然であることがよくわかる）

  ②情報を出す順序（この説明はさき／あとのほうがよかった）

  ③情報の質（どんな説明があったらもっと伝わるか、不要な説明があったか）

- フィードバックでは、どのような情報をどのように出せば、相手に偶然の話であることが伝わるかを考えることが大切である。「おもしろかった」や「わかりにくかった」などの感想だけに終わらせずに、わかりやすくするにはどう改善すればいいのかを話し合えるようにしたい。

× 悪い例	○ よい例
A：私の話はどうでしたか。 B：おもしろかったです。 A：ありがとうございます。	A：私の話はどうでしたか。 B：おもしろかったです。 A：わかりにくいところはありましたか。 B：ええと……（Aのワークシートを見ながら）この④の人間関係の説明が複雑でわからなかったです。もっとシンプルな説明のほうがいいと思います。

基本活動ワークシート

偶然(ぐうぜん)の話

```
┌─────────────────┐   (いつ)
│                 │   ①_____んですよ。
│     改善(かいぜん)メモ      │      ↓
│                 │   ②_____
│                 │      ↓
│                 │   ③_____
│                 │      ↓
│                 │   ④_____
│                 │      ↓
│                 │   ⑤_____
│                 │      ↓
│                 │   ⑥_____
│                 │      ↓
│                 │   ⑦_____
└─────────────────┘
```

つぎの話を「偶然(ぐうぜん)の出来事」にするためには？

　昨日(きのう)、同僚(どうりょう)の山田さんとお昼ご飯を食べに行ったんですよ。その日はカレーが食べたくて、カレー屋に行ったんですね。で、仕事が終わって家に帰ったら、家の夕飯もカレーだったんですよ！

2-3 偶然について話す

応用活動の手順

事前準備：ワークシートを配付し、囲みの部分と話の流れの部分を埋めてくるようにという宿題を出す。何か具体例を挙げるとわかりやすい。なお、ワークシートの話題1の囲みのなかにある「～に出会っていなかったら」は、「～に参加していなかったら」「～を読んでいなかったら」などに変えてもよいことを話すと、書きやすい。

例

　人生の転機となった出会い：高校時代に、A先生という音楽の先生に出会っていなかったら、私は今、教師という仕事をしていなかったかもしれない。

　当時はよくないことに思えた出来事：第一志望だったA社の就職試験に落ちたが、第二志望のB社で担当することになった仕事が、じつは自分に向いているということがわかった。

進め方	留意点
1. 活動のための準備（10分） 1. 宿題にしていた応用活動ワークシートを出してもらう。 2. 応用活動の手順について説明する。 3. 過去に起こった偶然の出来事について話すときに使う文法（反事実的条件文など）について説明する。	➡ このような話は、急に言われても思い出せない場合が多いので、必ず宿題にしてエピソードを思いだしてきてもらう。 ➡ 活動の手順は「応用活動の実際1」を参照。 ➡ 文法説明については「応用活動の実際2」およびコラムを参照。
2. ペアワーク（20分） 1. ペア（A、Bとする）になり、ワークシートにあるトピックについて、Aが話をしてBがフィードバックをする。 2. 同様にBが話をしてAがフィードバックをする。 3. フィードバックをもとに、どのように話すとより偶然の出来事には意味があったということが伝わるかを、各自考える。	➡ 盛りあがりすぎてだらだらと話さないようにする。たとえば、1人あたり5分話して5分フィードバックをもらうというように、時間の目安を設けてもよい。 　聞き手は聞くことに徹して、あまり余計な質問はしないようにする。

進め方	留意点
3. 発表（15分） 1. どちらか一つのテーマを選ぶ。 2. 1人ずつ発表する。 3. ワークシートを使って、各自に発表後の振り返りをさせる。 4. 発表後の振り返りをした点についてクラスで話し合う。	➡ 全員のまえで発表するのを躊躇するタイプの学習者が多いクラスでは、5人から10人程度のグループ内で発表させてもよい。 　クラスの人数が多い場合は、5人程度発表希望者を募って（あるいは教師が指名して）発表させてもよい。

応用活動の実際

1. 応用活動の手順についての説明

宿題で書いてきた二つの話題についてペアで話したあと、相手からのフィードバックをもとに再考し、より聞き手に「おもしろい！」と感じさせるための話し方を考える。最後に（原則）全員、どちらか一つのテーマを選んで、練習時のフィードバックを生かして発表する。

2. 文法についての説明

- 「その話には何か続きの展開がある」ということを示して聞き手に関心を持たせたいときの「～んです（のだ）」はここでも必要となる。（詳細は「基本活動の実際2」を参照。）
- それに加え、応用活動では反事実的条件文を使うことが必須となる。反事実的条件文とは、過去のすでに起こってしまった出来事にたいし、「もし別の展開だったら（別の行動をとっていたら）、今は別の結果になっていた」と仮定する場合に使われる。多くの場合、文末には判断を表すモダリティ表現が使われる。

【文型】
もしあのとき { ～ていたら / ～ていなかったら }、今 { ～ていた / ～ていなかった } だろうと思う / と思う　など
　　　　　　（状態性の表現）　　　　　　（状態性の表現）　　（判断の表現）

【例文】
もしあのとき研究会に参加していなかったら、今ここで仕事をしていなかったと思う。
もし家に忘れ物をしていなかったら、私も事故に巻きこまれていたかもしれない。
もし近所のスーパーに目的の品物があったら、Aさんと再会することはなかったと思う。

3. ペアワーク：「当時はよくないことに思えた出来事」の例

聞き手は余計な質問はせず、あいづち程度にとどめる。

× 悪い例	○ よい例
A：私、大学4年の2月に、○○という試験に落ちてしまったんですよ。 B：その試験は難しかったんですか。 A：いや、それほどでもなかったんですけど……。受かると思っていたので、かなりショックを受けてしまったんです。 B：ショックですよね。私も似たような経験がありますよ。 A：あ……そうですか……。	A：私、大学4年の2月に、○○という試験に落ちてしまったんですよ。 B：そうですか。 A：で、かなりショックだったんですけど、もう卒業まで1か月ちょっとしかないので、ある雑誌に載っていた「日本語学校一覧」を見て、片っ端から電話をかけてみたんですね。 B：ええ。

4. 発表後の振り返りの話し合いの例

「どうでしたか」という質問は答えにくいので、具体的に質問する。よい例にあるように、具体的な発言を例に挙げてもらうようにすると、ほかの聞き手にとっても有効である。

× 悪い例	○ よい例
教師：ではAさん、どうでしたか。 A：練習のときよりはうまく話せたと思います。	教師：ではAさん、話してみて「ああ言えばよかった」とか、「つぎからはこうしたい」と感じたことはありますか。 A：練習のとき「情報が少ない」というコメントをもらったので増やしたのですが、増やしすぎて話がわかりにくくなってしまったんじゃないかと思います。 教師：たとえばどんなことですか。 A：友人との関係は「高校のときのクラスメイト」とだけ言えばよかったと思います。部活が同じだったとかは別に言わなくても……。

応用活動ワークシート

話題１：人生の転機となった出会い

もし、＿＿＿＿＿＿＿＿＿＿＿＿＿＿＿に、＿＿＿＿＿＿＿＿＿＿＿＿＿＿＿＿＿＿＿＿に
　　　　（いつ？）　　　　　　　　　　　　　　（誰？　何？　どんなこと？）
出会っていなかったら、私は今、＿＿＿＿＿＿＿＿＿＿＿＿＿＿＿＿＿＿＿と思います。

改善メモ

↓
① ＿＿＿＿＿＿＿＿＿＿＿＿＿＿＿＿＿＿＿＿＿＿＿＿＿＿＿＿＿＿＿＿
↓
② ＿＿＿＿＿＿＿＿＿＿＿＿＿＿＿＿＿＿＿＿＿＿＿＿＿＿＿＿＿＿＿＿
↓
③ ＿＿＿＿＿＿＿＿＿＿＿＿＿＿＿＿＿＿＿＿＿＿＿＿＿＿＿＿＿＿＿＿

話題２：当時はよくないことに思えた出来事

【当時はよくないことに思えた出来事】＿＿＿＿＿＿＿＿＿＿＿＿＿＿＿＿＿＿＿
　　　　　　　　　　　　　　　　↓
でもこのことがあったからこそ、＿＿＿＿＿＿＿＿＿＿＿＿＿＿＿＿＿＿＿＿＿。

改善メモ

↓
① ＿＿＿＿＿＿＿＿＿＿＿＿＿＿＿＿＿＿＿＿＿＿＿＿＿＿＿＿＿＿＿＿
↓
② ＿＿＿＿＿＿＿＿＿＿＿＿＿＿＿＿＿＿＿＿＿＿＿＿＿＿＿＿＿＿＿＿
↓
③ ＿＿＿＿＿＿＿＿＿＿＿＿＿＿＿＿＿＿＿＿＿＿＿＿＿＿＿＿＿＿＿＿

発表後の振り返り（「ああ言えばよかった！」「つぎからはこうしたい！」など）

コラム

偶然について話すための文法

これはAさんが偶然の出来事について話したものを文字化したものです。

> ある日、一人で、渋谷のデパートに行きました。
> そのデパートの7階に見たいお店があったので、エレベーターに乗ったんですけど、間違えて3階のボタンを押してしまいました。
> 3階に着いて、ドアが開いたら、そこに友達がいました。

いかがでしょうか。偶然の話だということはわかりますが、どこか不自然な感じがしませんか。では、つぎのようにしてみるとどうでしょうか。

> ある日、一人で、渋谷のデパートに行ったんですよ。
> それで、そのデパートの7階に見たいお店があったので、エレベーターに乗ったんですけど、間違えて3階のボタンを押してしまったんですね。
> で、3階に着いて、ドアが開いたら、なんとそこに友達がいたんですよ。

接続詞（「それで」）、副詞（「なんと」）や終助詞（「ね」「よ」）を加えただけで、自然な発話になりますが、これら二つの例の最も大きな違いは文末の「〜んです（のだ）」の使用です。

「のだ」にはさまざまな用法があり、よく「関連づけ」という用語を用いて説明されます。「関連づけ」の例としては、「明日は休みます。病院に検査に行くんです。」のように、先行発話に続いて関連のあることを述べるさいに使われると説明されることが多いですが、聞き手の知らない話題を導入する場合や、認識を共有化したい場合に、先行発話に「のだ」が使われることもあります。これは、偶然の出来事を話すときに限らず、まとまったエピソードを語るときに共通して必要になることですが、ここに挙げた例は先に「のだ」を使って、聞き手に「これから関連のある話が続いていくよ」ということを示し、話に引きこむ効果があると考えられます。

また、過去に起こった偶然の出来事について話すときに必要になる文法は、反事実的条件文です。反事実的なことを述べる場合は、「もしあのときxたら／ば、y（だろう／と思うなど）」という文型が使われます。この場合のxには、状態性の表現が使われます。たとえば「もしあのときAさんに声をかけていなかったら、今、この仕事をしていないかもしれない。」のように、「テイル（テイナイ）」を使用します。

第2部 第4課

コメント力をきたえる
ピア・レスポンス活動で、作文だけでなく、話し合いもうまくなろう！

概要
ピア・レスポンス活動とは：学習者が書いた作文を、教師が添削するのではなく、学習者どうしがコメントしあうことによって、作文の表現や内容の改善を目指す活動である。この課では、作文についての学習者どうしのコメントのやりとりを、口頭表現の活動と位置づけている。

基本活動 (ペアでの質疑応答)：似たレベルの学習者がペアになり、おたがいの作文を読んで疑問点について質問したり答えたりする。

応用活動 (司会者による多人数での質疑応答)：レベルの違う学習者を組み合わせ、司会者役の学習者も準備し、3～5人程度のグループでたがいの作文をコメントしあう。

目的
質問をしたり質問に答えたりできるようになる：2人でのピア・レスポンス活動をとおして、質問をしたり質問に答えたりといった話し合いの基本ができるようになる。

適切なコメントや司会進行ができるようになる：3人以上でのピア・レスポンス活動をとおして、ゼミなどの話し合いでよいコメントをしたり、会議の司会進行が務めたりできるようになる。

レベル	基本活動：中級前半～	応用活動：中級後半～
時間	基本活動・応用活動：いずれも45分	
人数	基本活動：2人以上 (2人のペア×ペア数)	
	応用活動：3人以上 (3～5人のグループ×グループ数)	
準備	基本活動：基本活動ワークシート1、2を人数分	
	応用活動：応用活動ワークシートを人数分	

基本活動の手順

事前準備：学習者はペアになる相手を決め、教師が指定したテーマに沿って書いてきた作文を1週間まえに交換し、パートナーに読んできてもらう。

- ペアになるのはクラスのなかでも日本語のレベルが近い者どうしが望ましい。また、この活動を2回以上続けるときはペアを変えたほうがよい。
- 作文のテーマは、学習者に身近な話題のほうが、活動が活性化しやすい。クラスの共通のテーマを話し合って決めておく(「基本活動の実際」参照)。字数は中級前半は400字、中級後半は600字、上級は800字程度が目安。
- 作文の読み手は教師ではなくクラスメイトを想定し、クラスメイトが理解できる日本語で書く。また、クラスメイトが理解しにくい内容には、背景知識となる説明も入れる。

進め方	留意点
1. 受け答えの練習（5分） ● ピア・レスポンス活動に移るまえに、クラス全体で、ワークシート1にあるような短い作文で質問したり答えたりする練習をする。	➡ いきなりピア・レスポンス活動を始めても意見はなかなか出てこないので、ワークシート2を参考に練習する。短い作文について、学習者が質問を出し、別の学習者が答え、教師がそれにコメントできるとよい。
2. 作文を読む（5分） ● 書いてきた人が自分の作文を音読する。	➡ 音読は書き手・読み手双方にとってよい練習にもなるし、現実には読んでこない学習者がいることもあるので、音読はおこなったほうがよい。ただ、時間がなければ、省略することも可能。
3. 質問・コメントをする（10分） ● パートナーの作文にたいし、疑問点や改善点を伝える。	➡ コメントの対象は、表現・内容いずれでもよいが、質問だけでなく、「どうすればよいか」という改善のコメントもつけるように心がける。ワークシート2を参照。
4. 作文を読む（5分） ● 役割を交代し、もう一方の人が自分の作文を音読する。	➡ (「2.作文を読む」と同じ)

進め方	留意点
5. 質問・コメントをする（10分） • パートナーの作文にたいし、疑問点や改善点を伝える。	➡ （「3.質問・コメントをする」と同じ）
6. フィードバック（10分） • どんな質問やコメントが出たかを、全体で議論する。	➡ とくに作文の書き手として、どんな質問やコメントが役に立ったかを各自発表し、共有できるとよい。

復習：パートナーのコメントをもとに作文を推敲して再提出させる。やりっぱなしにならないように、授業終了後、なるべく早く書きなおすように指示する。それがよい復習にもなる。

基本活動の実際

具体的な言葉で表現：
ピア・レスポンス活動を盛りあげるコツは、質疑応答やコメントをできるだけ具体的な言葉でくわしく表現することである。

テーマは身近なものを：
すべての学習者に共通した、身近な内容がよい。たとえば、「私のもっとも古い記憶」「日本文化のここが変」「日本で始めた新しい習慣」「私の国の朝食」「私が初めて会った日本人」「私の金銭感覚」「日本の住宅事情」など。

準備の練習が大切：
実際にピア・レスポンス活動が始まったら、できるだけ学習者の主体性に委ねたほうがよい。授業のはじめの「1.受け答えの練習」のあいだに、どのようなやりとりができることが目標か、学習者に伝えることが大切になる。

× 悪い例	○ よい例
A：何が言いたいのかわかりません。 B：言いたいのはShe looks happy.です。	A：ここで言いたかったことは何ですか。 B：彼女が好きな人と一緒にいるとき幸せそうだということです。

※「わからない」と言うのではなく、わからない部分を焦点化した質問文にする。答えるときは、できるかぎり日本語を用いるようにする。

× 悪い例	○ よい例
A：「生産」？ B：productです。	A：「生産」の意味を教えてください。 B：同じものをたくさん作ることです。／この工場では1日千台の車を生産します。／「生」も「産」も「うむ」という意味です。

※疑問のとき、語だけ示して語尾を上げるのは聞き手に失礼になるおそれがある。意味の説明は、「やさしい言葉で言い換える」「例文を示す」「漢字の意味を説明する」など、さまざまな方法がある。

× 悪い例	○ よい例
A：なぜ必要？ B：面倒くさくないでしょ。	A：なぜ制服が必要だと思ったのですか。 B：制服があると、服を選ばなくて済むし、みんな平等だと思ったからです。

※断片的な言い方は避け、できるだけ整った文で受け答えをするようにする。また、感覚的な表現ではなく、論理的な表現を用いるようにする。

× 悪い例	○ よい例
A：この話題はつまらないですね。 B：そうですか。	A：この話題はこう話を広げればもっとおもしろくなりませんか。 B：たとえば、どうすればいいですか。

※コメント者は、否定的な評価はできるだけ避け、できるだけ建設的な提案になるようにする。作文の執筆者は、コメント者から具体的な提案を引きだすように心がける。

× 悪い例	○ よい例
A：ここはいいですね。 B：そうですね。	A：ここは身近な例を挙げて説明しているのでわかりやすいですね。 B：ありがとうございます。

※コメント者は、肯定的な評価をするときでも、漠然とよいと言うのではなく、何を根拠に評価したのかを示すようにする。執筆者は、肯定的な評価には肯定的な反応を返すようにする。

基本活動ワークシート 1

●質問したり答えたりする練習

つぎの文章は「クレジットカードか現金か」というタイトルの作文です。線を引いてあるところは、直したほうがよいと思われます。書いた人にどんな質問やコメントをしますか。考えてみてください。

　日本では現金を使う人が多いですが、最近ではクレジットカードを使う日本人も増えてきました。クレジットカード派ですか、それとも現金派ですか。
　何を買ってもカード1枚で払えるので、クレジットカードは便利だと思います。わざわざ銀行に行って現金を出す必要はないし、カードはとても軽いし、それに、ほとんどの店で使えます。
　もし現金をなくしたらあきらめるしかないですが、クレジットカードをなくしたら、カード会社に新しいカードを新しく作ってもらいます。
　しかし、いつもクレジットカードで払っていると、お金をどのくらい使ったかわからないので、あぶないです。月末にアカウントを見ると、一驚を喫します。
　そうしたことは、現金では起きません。たくさん買い物をしても、どのくらい使ってよくわかるからです。
　だから、私はクレジットカードのほうがよいと思います。

2-4 コメント力をきたえる

基本活動ワークシート 2

●パートナーの作文を読んで質問やコメントをする練習

①パートナーの作文で意味のわからない（わかりにくい）言葉があったときの質問

- この漢字は何と読みますか。
- この言葉の意味を教えてください。
- 「現金」は「キャッシュ」という意味ですか。
- 「クレジットカード」と「デビットカード」はどう違いますか。
- 「あぶない」ではなくて、何かほかの言葉も使えますか。

②パートナーの作文のよい（おもしろい）ところをほめるときのコメント

- 具体的な例があって、わかりやすいです。
- 言いたいことがはっきりしていて、なるほどと思いました。
- この表現はとてもうまいと思います。
- ここは私も同じ意見です。
- ○○さんらしい、おもしろい考え方ですね。

③パートナーの作文で直したほうがよいところを見つけたときの質問・コメント

- この文は、何を言いたいのかよくわからないのですが。
- この文は、別の意味にも取れるので、こう直したほうがよいと思います。
- この文章をつうじて、一番言いたかったことは何ですか。
- ここは、文章全体のテーマとどんな関係がありますか。
- 最初に賛成か反対かをはっきり書いたほうが、読者は読みやすいと思います。

応用活動の手順

事前準備：3〜5人のグループを設定し、教師が指定したテーマに沿って書いてきた作文を1週間まえにグループ内で交換し、ほかのメンバーに読んできてもらう。

- グループの場合は役割分担ができるので、メンバーは日本語のレベルが違っていてよい。また、特定の母語話者に偏らないことが望ましい。
- 作文のテーマは、基本活動とは異なる、やや学術的なものにする。人数が多いので、読む負担も考え、字数は控えめがよい。上級レベルでは、作文を要約したものを検討させてもよい。

進め方	留意点
1. 司会進行の練習（5分） ● ワークシートを使って話し合いや会議で見られる司会進行の練習をする。短い作文を配付し、それをクラス全体で短い時間討議する。司会役の学習者を決め、教師の指導のもと司会を務めてもらう。	➡ 基本活動で質疑応答の仕方はわかっているので、ここでは会議や話し合いで見られる社会的側面に留意させる。司会者が進行し、質問者は司会者に許可を求めて質問し、回答者は配慮を持って回答する。
2. 作文を読む（5分） ● 書いてきた人が自分の作文を音読する。	➡ 作文の分量が少ないので、学習者が前もって読んできているか、日本語のレベルが高ければ、時間の関係で省略することも可能。
3. 質問・コメントをする（10〜15分） ● メンバーの作文にたいし、疑問点や改善点を伝える。	➡ 表現・内容の双方にバランスよく質問・コメントできることが望ましい。人数が多い場合、参加者のコメントの数を制限してもよい。ただし、全員に何か発言を求めるようにする。
4. 作文を読む（5分） ● 役割を交代し、別の人が自分の作文を音読する。	➡ 司会は同じ人が続けてもよいし、適当な人がいれば交代してもよい。

進め方	留意点
5. 質問・コメントをする（10〜15分） ● メンバーの作文にたいし、疑問点や改善点を伝える。（以下、同様）	➡ （「3.質問・コメントをする」と同じ）
6. フィードバック（5分） ● どんな質問やコメントが出たかを、全体で議論する。	➡ 質問やコメントの内容だけでなく、言い方についても目を向けられるとよい。 時間が足りなければ省略可能。

復習：ほかのメンバーのコメントをもとに作文を推敲して再提出させる。やりっぱなしにならないように、授業終了後、なるべく早く書きなおして再提出させる。それがよい復習にもなる。

応用活動の実際

応用活動の目的：応用活動の目的は、実際の話し合いや会議の場で発言したり取りまとめたりする力をつけることであり、とくに重要なのは司会者と助言者の役割である。

司会者の役割：司会者は参加者全員の参加をうながし、場を盛りあげるようにする。コメントがない場合は自分でコメントを考え、話が脱線したり、時間が足りなくなってきたときは、会議の流れをコントロールする。

助言者の役割：日本語のレベルが高い学習者は、助言者として、丁寧にコメントするように心がける。

全員参加の意識：全員が発言することが大切である。内容面のコメントでは、日本語力の影響は少ないので、日本語ができない学習者は内容面のコメントで積極的に参加するようにする。

× 悪い例	○ よい例
A：質問はありますか。	A：この作文でわからない言葉や漢字があれば質問してください。何か質問はありますか。
※司会者が「質問はありますか」と言っても、何の反応もないこともある。司会者が質問の出し方の方向性を示したほうが、意見が出やすくなり、話し合いが盛りあがりやすい。	

× 悪い例	○ よい例
B：○○さんの作文はここが悪いです。	B：この作文はここをこう直せばもっとよくなると思います。

※作文批判が執筆者批判と受け止められかねないので、作文を書いた執筆者の実名は出さないようにする。また、否定的な評価は建設的な提案になるようにする。

B：冒頭の2文はないほうがいいです。	B：(挙手するなどして)すみませんが、よろしいですか。冒頭の2文はないほうがすっきりすると思うのですが、いかがでしょうか。

※助言者は、とくに否定的な意見の場合、いきなり切りださないようにする。和らげる意味で前置きを用意し、また意見自体もきつくならない言い回しになるように心がける。

B：この作文はこの漢字が間違っていて、それからこの言葉の使い方は変で、それからここの意味がわからなくて……。	A：(Bの発言にたいし)すみませんが、手短にお願いします。

※質問者は、話の要点がわかるように、整理して質問するように心がける。一方、司会者は、質問者の話が長くなりそうだったら、質問を早めに切りあげるように上手に勧める。

B：タバコなんて売るからダメなんだよ。 C：それはないでしょ。	B：タバコは売らないほうがよいと思います。 C：そういう考え方もあるかもしれません。でも、ここで言いたいのは分煙を進めるほうが現実的だということです。

※感情的なやりとりは望ましくないので、クラスメイトの対立する意見に配慮を示しつつ、あくまで論理で説得するように努力する。論理で説得できるように、明確な根拠を示すようにする。

応用活動ワークシート

司会用マニュアル

あいさつ	司会をつとめる○○です。よろしくお願いします。
全体の予定	今日は、○○さん、○○さん、○○さん、○○（自分）の作文を検討します。検討時間は、読む時間も合わせて、1人○○分です。
開始の指示	まず、○○さんの作文から始めます。○○さん、自分の作文を読んでください。 つぎは、○○さんの作文です。○○さん、自分の作文を読んでいただけますか。 最後は、○○さんの作文です。○○さん、よろしくお願いします。
質問の受け付け	○○さん、ありがとうございました。それでは、質疑に移ります。最初に質問を受け付け、それからコメントを受け付けます。まず、この作文でわからない言葉や漢字があれば質問してください。何か質問はありますか。
意見の受け付け	つぎに、この作文でおもしろかったところ、こうすればもっとよくなるというところがあれば出してください。何か意見はありますか。
進行の指示	（質問が長いとき）すみませんが、質問は手短にお願いします。 （質問がわかりにくいとき）○○さんの質問は、〜という意味ですか。 （質問が出ないとき）司会者からまず簡単な質問をさせてください （コメントが出ないとき）この作文の内容は○○さんの専門と関係があると思います。○○さん、何かコメントはありませんか。 （時間がないとき）すみませんが、コメントは1人一つでお願いします。 （話が作文から離れたとき）すみませんが、作文に関係のあるコメントをお願いします。
終了の指示	まだ、質問やコメントもあるかもしれませんが、時間が来ましたので、ここで○○さんの作文の検討を終わります。ありがとうございました（拍手）。

2-4 コメント力をきたえる

> コラム

ピア・レスポンス活動

　ピア・レスポンス活動は、英語の第一言語話者にたいする作文教育から始まったものですが、それが第二言語習得に応用され、近年、日本語教育でも取りいれられています。当初は、率直な意見の交換を苦手とする東アジアの学習者への有効性が疑問視されたこともありましたが、現在ではそうした学習者にも有効な活動であるという評価を得つつあります。

　ピア・レスポンス活動が普及するまで、日本語教育では、添削による教育が一般的でした。しかし、添削は万能ではありません。とくに、
　　①学習者は直されても、なぜそれが誤りであるかがわからないことがある
　　②学習者が自分で直すわけではないので、直したことがなかなか身につかない
　　③教師が学習者の言いたいことを誤解して直す危険性がある
　　④教師の直し方がかならずしも望ましい直し方でない可能性もある
　　⑤教師―学習者というある種の支配的関係を促進するおそれもある
などの問題点は無視できません。

　一方、ピア・レスポンスは、対等な関係にあり、同じ問題を抱える仲間が直接話をするなかで推敲をおこなうため、上記の問題点を解決できる可能性があります。つまり、
　　①学習者は直された場合、その直された理由をその場で確かめることができる
　　②同じ問題を共有する学習者どうしで検討するので、問題点が共有されやすい
　　③意図がうまく伝わらない場合、その場で説明でき、誤解の生じるおそれが低い
　　④多人数によるピア・レスポンスの場合、修正提案の比較検討ができる
　　⑤対等な立場での修正なので支配的関係が生じにくい
といった効果が期待できるのです。

　もちろん、ピア・レスポンスには、教師が加わらないことで、ある表現が日本語として正しいかどうか、間違っているとしたらなぜか、ほかに適切な表現はあるかなど、表現選択の背景にある日本語について十分な説明を受けられないという問題がありますが、今後は添削の長所もうまく取りいれながら、作文教育を多面的に展開することが望まれます。

　ピア・レスポンス活動は、作文の改善を第一の目的としていますが、作文以外でも、この活動の教育上の価値が評価されています。ピア・レスポンス活動は、作文を題材に、学習者が協力して四技能を総合的にきたえられる活動だからでしょう。この課では、話し合いや会議に結びつく口頭教育活動として位置づけましたが、ほかにも読解教育活動として、さらには語彙教育活動として応用できる可能性もあります。

第2部　第5課

上手な意見の伝え方

異なった価値観をしっかり受けとめ、そのうえで自分の主張や体験を語ってみよう！

概要

対話の手法を用いたグループ活動：提示されたテーマについて、構成的グループ・エンカウンターやワールドカフェ・アプローチ（コラム参照）などの指定された枠組みに従って、話し合いを進める。

基本活動：「ケンタのけが」を読み、登場人物5人について責任の重さの順位をグループ内で議論し、グループとしての合意を作る。その議論の過程について感想を書き、グループ内で発表しあう。

応用活動：「Yさんの話」を読み、設問についてグループで話し合い、自分の経験やアイディアを出しあう。メンバーの組み合わせを変えて、さらに話し合い、理解を深める。

目的

多様な価値観を受け入れたうえで自己を主張する：仲間との関係を保ちつつ、誤解を招かないように自分の意見を主張できるようになる。

要点をつかみ聞き手に届ける：話し合いをしながら内容の要点や印象的な事柄を把握して、それを別の聞き手に伝えられるようになる。

レベル
基本活動：中級後半〜　　応用活動：上級前半〜

時間
基本活動・応用活動：いずれも45分×2

人数
基本活動：3人以上（3〜5人のグループ×1以上）
応用活動：6人以上（3〜5人のグループ×2以上）

準備
基本活動：基本活動ワークシート1、2を人数分
応用活動：応用活動ワークシートを人数分

基本活動の手順

進め方	留意点
1. 導入と読解（20分） 1. ワークシート1を配付し、進め方について説明する。 2.「ケンタのけが」の物語を、教師が語彙の説明などをしながら音読する。	➡ 進め方については教師が順次指示するので、学習者はその概要さえわかればよい。 ➡ 学習者は教師の音読を聞きながら黙読し、わからない語彙や言葉づかいを質問する。学習者の運用力によっては、ストーリーの確認が必要。
2. 個人の順位づけ（10分） • 個々人で、責任の重い順位を考え、ワークシート1の上の表に記入する。	➡ どの人物にもそれぞれに責任がありそうだが、あえて「まだマシな人」を考えて順位を決めてもらう。
3. グループ活動（25分） 1. 3〜5人程度のグループに分かれ、個人の意見の結果とその理由について、発表しあう。 2. その後、グループの統一見解としての順位を話し合う。	➡ グループ分けは、国籍・性別・年齢などできるだけ違う背景の者どうしにする。 ➡ 多数決やジャンケンなどではなく、また安易に妥協したりせず、できるだけ全員が納得したところでグループの結論を出すように指示する。
4. クラス全体での活動（20分） • 各グループの代表者がグループの結果を発表する。	➡ 合意が出なかったグループは、どこが対立点だったかを詳しく説明する。ほかのグループからさらに意見が出てきてもおもしろい。
5. ワークシートへの記入（15分） • 個々人でワークシート2を記入する。	

基本活動の実際

根拠(理由)を示して説得する:
意見がまとまらないとき、感情的になるのではなく、主張の根拠をきちんと仲間に伝えることの重要性を強調する。そして、話し合っていくにつれて、当初の自分の理解とは別の解釈になりうることも示唆する。

安易な妥協はなし:
安易に同調したり、納得させられてしまったりするのではなく、別の価値観を受け入れたうえで、では自分の感情の根拠は何なのかを具体的に考え、それを(できればユーモアを交えて)率直に伝えられたら、誤解を引き起こさず説得力が生まれることを伝える。

活動自体の根拠も示す:
文化的背景によっては、ワークシートの物語の提示自体に道徳的な嫌悪感を抱く学習者がいる可能性もある。実施を見合わせるケースも含めて、あくまで学習者やクラスの特性に合わせた対応が必要だが、そのような場合、この活動の目的を明確に学習者に伝え、たとえばその嫌悪感を主張することそのものも、この活動の一環として考えられると説明することもできる。

話し合いのルールを:
話し合いのルールをあらかじめ全体で確認しておくとよい。一人で話し続けてしまったり沈黙したままの人がいないように、発言権の受け渡しに留意し、話さない人にあえて話を振ったりする。ほかの人の話を横取りして話してしまう人には、「私の話を最後まで聞いてください」「△△さん、ちょっと待って。まず○○さんの話をきちんと聞きましょう」「(にっこりして)ルール違反!」などと注意する。また、話し手の視線(均等に視線を送る)、表情、身振り手振り、そして聞き手のうなずき、あいづち、視線、表情、態度などへの配慮が必要であることを事前に確認する。

× 悪い例	〇 よい例
A：（ほかの人の順位を聞いて）あなたの考えは、絶対に間違っています。 B：そうではありませんよ！ あなたの意見こそ、とても変な考えです。 A：一般常識を考えなさい。	A：私は母親のリカの責任が一番重いと思う。3歳の子どもの世話は母親の責任です。 B：同感です。リカは仕事よりも大切なことを忘れています。少なくとも夜勤のない職場を選ぶべきだと思うな。 C：でも夫のコージは失業中だから、リカが働かなければなりませんよ。私はリカよりもミツエに責任があると思う。ミツエは嘘をついて旅行に行き、いつも任されているケンタの世話をしなかったのだから。
※主張の根拠を必ず述べる。	
グループ内で、特定の学習者だけが話し続けてしまったり、あるいは特定の学習者だけがずっと沈黙してしまっている。	A：Cさん、ちょっと待ってね。Bさん、どう？ 今のCさんの意見については……。 B：あ、そうですね。私はそうは思いませんでしたよ。どうしてかというと……と思ったからです。 C：僕だけぺらぺらしゃべりすぎちゃった。Dさんは、どう思いますか。
※黙っている人には話を振る。「しゃべりすぎ」に気づかせる。	

基本活動ワークシート1

●進め方

1. 下の「ケンタのけが」という物語を読んでください。この話には、ケンタ以外に5人の登場人物が出てきます。ケンタの大けがにたいし、最も責任があるのは誰だと思いますか。直接的な責任、間接的な責任、どちらも考慮したうえで、最も責任のある人物から最も責任のない人物まで、順位をつけてください。理由も考えてください。5人のなかで「一番責任がある」と思う人を1番、順に2、3、4とつけ、一番責任のない人が5番です。それを表に記入します。

2. 3〜5人でグループになり、おたがいの顔が見えるように座ってください。1の結果についておたがいに順位を発表し、表に記入してメンバーの順位の一覧表を作ってください。

3. 一覧表ができたら、グループで話し合ってグループとしての順位を決めてください。多数決ではなく、よく話し合って納得できるところで結論を出してください。この活動の目的は、裁判とは違い、責任のありかを決定することではありません。物語はあくまでも、仲間どうし思ったことを主張しあい受け入れあい、話し合うための材料です。大切なのは、自分の主張の「理由」をきちんと仲間に伝えて説得するということです。

4. 話し合いが終わったら、グループの結果をクラス全体に発表します。

5. 最後に、ワークシート2を個々人で記入します。

ケンタのけが

3歳のケンタがけがをした。祖父のノボルと行った公園の滑り台に頭をぶつけて血を流し、救急車で病院に運ばれるほどの大けがだった。いつもは祖母のミツエがケンタの面倒を見ているのだが、彼女は昨日から年に1度の同窓会旅行に出かけていた。それで、今日は、家事や子どもの世話の苦手なノボルが、孫を連れて公園に来ていたのだ。

ノボルは昨年、会社を定年退職した。退職金もあり、時間にも余裕ができたので、趣味の一人旅を楽しんでいる。今日は、前回のエジプト旅行の写真を、公園のベンチに座りノートパソコンを使って、自分のブログにアップすることに夢中になっていた。さきほどまで自分のすぐ近くでケンタは遊んでいたと思ったのに、いつのまにかいなくなり、遠くからケンタの泣き声が聞こえてきたのだ。

ノボルとミツエの息子で、ケンタの父親であるコージは証券会社に勤めていたが、大きな過失がもとでリストラされ失職した。本当は家にいてケンタと遊んでいたいのだが、そ

うもいかず、毎日職探しのふりをしてパチンコ店で時間を過ごしていた。

　コージの妻、ケンタの母親のリカは内科の医者だが、家族よりも仕事を優先するところがある。昨晩は、職場の大学病院の夜間勤務で疲れ切っていた。今日は夜勤明けの休暇だが、ケンタが家にいるとうるさくて眠れない。それで、義父のノボルにケンタを公園にでも連れて行ってほしいと頼み、リカは自室で眠っていた。

　ケンタの祖母ミツエは、本当は同窓会旅行ではなく、年にたった一度しか会えない恋人ムラキとの、デート中だった。ムラキはノボルの学生時代の同級生で、今は成功した実業家だが、妻は病弱で長期入院中だ。そしてミツエは、今回、この不倫の関係を断ち切る決心をして、ムラキに会っていた。

順位	自分が選んだ順位	
	登場人物〔ノボル、ミツエ、コージ、リカ、ムラキ〕	理由（簡単に）
1位		
2位		
3位		
4位		
5位		

順位	グループのメンバーが選んだ順位					グループで決めた順位
1位						
2位						
3位						
4位						
5位						

2−5 上手な意見の伝え方

基本活動ワークシート 2

●書いてみましょう

1. あなたの意見と仲間の意見と、大きく違ったのはどこでしたか。その理由も書いてください。

2. あなた自身の考え方や価値観について、気がついたことを書いてください。

3. グループの仲間の考え方や価値観について、気がついたことを書いてください。

4. 話し合いの場面を振り返り、自分の話し方や聞き方について、思ったことを書いてください。

5. 話し合いの場面を振り返り、ほかの人の話し方や聞き方について、気がついたことを書いてください。

6. その他、活動全体をつうじて考えたことや気がついたことを書いてください。

応用活動の手順

進め方	留意点
1. 導入と読解（15〜20分） 1. クラスを3〜5人のグループに分ける。 2. ワークシートを配付し、進め方について説明する。 3. ワークシートの「Yさんの話」を、クラス全体に向けて教師が音読する。	➡ 学習者は教師の音読を聞きながら黙読し、わからない部分を質問する。必要であれば、適宜、内容確認の質問をする。
2. グループ活動1（15分） 1. ワークシートの設問について、グループ内で話し合う。 2. ホストを1人を決め、ほかの人は旅人になる。	➡ 話し合いの内容のメモは母語でもよく、書くことだけに気を取られて話し合いができないことがないように注意。
3. グループ活動2（15分） 1. 各グループにホストだけを残して、旅人は別のテーブルへ行く。 2. ホストは自分のグループでの話し合いの内容を旅人たちに紹介し、旅人は自分のグループでの話し合いの内容を紹介し、さらに話し合う。（「ワークシート」の「進め方」参照）	➡ グループ内の話し合いの内容すべてを紹介する必要はなく、印象に残った主要な内容やアイディアだけの紹介でよい。 　紹介されたそれぞれの内容のつながりや、新しい考えなどもメモする。
4. グループ活動3（15分） • もとのグループに戻り、それぞれが収穫した内容を紹介し、さらに話し合う。	➡ それぞれにどのような変化や気づきがあったかも、報告できるとよい。
5. 全体でのまとめ（15〜20分） • 各グループのホストが、とくに印象的だった発言や話し合いの内容、またはメンバーの意見の変化や気がついたことなどについて全体に発表する。	➡ 教師は報告を聞きながら、内容をつなぐマインド・マップなどを板書してもよい。
6. ワークシートへの記入（10分） • 活動全体について、自由に書いてもらう。	

応用活動の実際

話し合いのルールを明確に:「基本活動の実際」で示したような話し合いの配慮を事前に伝えておく。

グループ活動1

× 悪い例	○ よい例
A：Qさんの具体的な目標のゲストハウスってホテルみたいなもの？ B：そう。去年、沖縄に行ったときに泊まったよ。沖縄はいいところだったな。 C：私も行きましたよ。あんなにきれいな海は見たことがないな。 D：え〜そう？ 私は北海道の流氷の海のほうが感激したな。 B：私には故郷の海が一番きれい。	A：Qさんの具体的な目標のゲストハウスってホテルみたいなもの？ B：そう。安くて若者向けの小さいホテル。目標がはっきりしてるのはうらやましい。 C：え〜？ 目標がない人なんているの？ D：目標がなくても、目の前にあることを一生懸命にやればいいんじゃないかな。 C：だけど、何か目標がなかったら一生懸命に生きていけないと思う。

※雑談ではなく、できるだけテーマに集中して話すようにする。

グループ活動2

A：私のチームの○○さんはYさんに、自分もこんなところで何してるんだろう、と言うそうです。現在具体的な目標を持っていないそうです。具体的な目標はあったほうがいいそうです。今の勉強は将来に直接はつながっていないそうです。次に□□さんは……	A：私のチームの話し合いで印象的だったのは、○○さんの「暗い部屋に1人で帰ったときに、こんなところで私は何してるんだろうって自分も思う」という言葉です。 B：たしかに。それですぐテレビをつけると音がするから気持ちが少し落ち着く。 C：私のグループでもYさんの、何かから取り残されるような気持ちがよくわかるという意見がありました。

※話し合いの内容を網羅的に報告するのではなく、印象的な点を短く話し、組み合わせの違うメンバーとできるだけ対話しながら情報を共有し発展させたい。

応用活動ワークシート

●進め方

1. 下にある「Ｙさんの話」を読み、内容を理解してください。
2. ３～５人のグループになり、おたがいの顔が見えるように座ってください。ホストを１人決めたあと、「設問」について話し合ってください。自分の考えを積極的に話しましょう。ほかの人の話も、よく聞きましょう。その話し合いの内容の主要な点を、「設問」の下の枠にメモしてください。母語でもいいです。メモをとることだけに夢中になって、話し合いに参加できなくなってしまうことがないようにしてください。
3. ホスト以外の人は旅人になって、ほかのテーブルに移動してください。ホストは自分のグループでの話し合いの内容を新しいメンバーに紹介します。旅人も自分のグループでの話し合いの内容を紹介します。この、ほかのグループの人と話した内容を、つぎの枠にメモしてください。
4. もとのグループにもどって、それぞれが持ち帰ったほかのグループの話し合いの内容を報告しあいます。それぞれに、どんな変化や気づきがあったかも話してください。
5. 最後に、クラス全体で発見したことや気づいたことなどを報告します。

Ｙさんの話

　私は先日一時帰国したときに、中学時代の２人の友人、ＰさんとＱさんに会いました。ＰさんとＱさんの話を聞き、自分の進路について考えてしまいました。
　Ｐさんは、高校を卒業したあと、美容師になるための専門学校へ行き、一昨年から故郷の近くの都市にある美容室で働いています。すでに結婚して、今年のはじめには子どもも生まれたので、できるだけ早く自分のお店を持つという目標を持ってがんばっています。Ｑさんは、地元の大学を卒業し就職が内定していましたが、「レールに乗った人生はやはりいやだ」と言って断り、南の島のリゾート地で生活しています。両親にはずいぶん反対されたらしいですが、彼はその島でゲストハウスを経営するという目標を持って、アルバイトに励んでいます。ＰさんもＱさんも、とても生き生きしていました。
　私は日本語を学んで、将来は日本と祖国をつなぐための仕事をしたいと思い、日本に留学しました。今は大学で経済学を専攻していますが、最初の意気込みは毎日の生活のなかで、だんだんぼやけてきてしまいました。すでに家庭を持ったり社会人として働いていたり、具体的な目標を持ってがんばっているＰさんやＱさんに比べると、自分は家族と離れ遠いところでいったい何をやっているんだろうと不安になるのです。

● **設問**
- Yさんがあなたの親しい友人だったら、あなたはYさんに何と言いますか。
- 「具体的な目標」は必要ですか。
- あなたは具体的な目標を持っていますか。
- 今あなたが取り組んでいることと、あなたの将来は、どのようにつながっていると思いますか。
- グループで話し合い、あなたはどんなことを感じましたか。

自分のグループで話した内容

ほかのグループの人と話した内容

全体をとおしてあなたが感じたこと、考えたこと

2−5 上手な意見の伝え方

コラム

①構成的グループ・エンカウンター

　本課の基本活動は、ランキング、あるいは価値の明確化（value clarification）などと呼ばれる活動であり、また応用活動は、学習者に内省や一定の自己開示を求める対話活動です。どちらもその背景には、カウンセリング心理学、現象学などを折衷した教育技法としての、構成的グループ・エンカウンター（Structured Group Encounter）があります。日本へは國分康孝らによって1970年代に紹介され、日本語教育分野でもさまざまな実践が紹介されたり、エクササイズ集が刊行されたりしています。具体的には、リーダー（教師）が用意したプログラムにそってエクササイズを実施し、それをとおして体験したこと、感じたことを分かちあい、交流するというものです。そこで目指されるのは、自己理解、他者理解、自己受容、自己主張、信頼体験、感受性の促進の六つと設定されます。基本活動も応用活動も、仲間との交渉を通して、自分の価値意識や道徳観、ジェンダー・バイアス、あるいは誰にとっても切実な課題としての進路や自己実現についての意識などを、対象化することが目指されています。それと同時に、自己のコミュニケーション時の癖を自覚すること、そして他者との関係作りの改善なども目標としています。

②ワールド・カフェ・アプローチ

　本課の応用活動では、ワールド・カフェの対話形式を応用しました。1995年米国で始まったと言われるワールド・カフェは、メンバーの組み合わせを変えながら小グループで話し合いを続けることにより、あたかも参加者全員が話し合っているような効果が得られる対話手法です。「学習する組織（ラーニングオーガニゼーション）」に関係する人々からの支持を受け、各国でおこなわれています。学会や研究会、地域コミュニティー活動、企業の戦略立案、課題解決を含むビジネス場面でも多く用いられています。本来は、会場設営やテーブル・セッティングなどにもできるかぎり留意し、話し合いの明確なルールが必要とされていますが、ここでは割愛しました。グループでの一定時間の対話ののち、参加者が会場を歩きまわって別のグループを作り、そこでさらに対話を発展させるという、集合知を作るためのシンプルな手法であるため、私たちの授業でも広く、比較的手軽に使用できます。今回はホーム（もとのグループ）⇒アウェイ（旅）⇒ホームという3ラウンドにしましたが、時間的な余裕があればホーム⇒アウェイ⇒アウェイ⇒ホームという4ラウンドの実施でさらに対話が深まります。また、グループ内の人数は、意見の多様性を求めたい場合には5～6人と多くし、たくさん話してほしい場合には3人と少なくするなど、調整することも可能です。

第3部　第1課

説明のコツ

ストーリーや図表をわかりやすく説明できるようになろう！

📄 概要

説明のコツの観点：友人との雑談から仕事上のプレゼンテーションまで、聞き手の知らないことを説明することが要求される機会は多い。この課ではストーリーの説明・資料の説明という活動をとおして、多様な場面に応用可能な聞き手にわかりやすく伝える技術を学ぶ。

基本活動：4枚のイラストを組み合わせてストーリーを作り、わかりやすく伝える。

応用活動：図表を資料として、わかりやすく説明する。

🎯 目的

情報を整理して伝えられるようになる：聞き手の理解に配慮して、どんな情報をどのぐらい、どの順番で与えるか考え、複雑な内容を整理して伝達できるようになる。

メタ言語を活かした説明ができるようになる：接続表現の利用や、「これから〜について説明します」のような枠組み提示によって、聞き手が情報の関連性をつかみやすくなる工夫ができるようになる。

非言語情報の有効性に気づかせる：間（ま）やイントネーション・表情などが、聞き手にわかりやすく伝えるうえで重要な役割を担っていることに気づけるようになる。

レベル
基本活動：中級前半〜　　**応用活動**：中級後半〜

時間
基本活動・応用活動：いずれも45分

人数
基本活動・応用活動：いずれも2人以上
6人以上の場合は、3〜5人のグループ活動にする。

準備
基本活動：基本活動ワークシート1〜5を人数分（あるいはグループ数分）
※ワークシート2,3のマンガは、発表時に使う拡大版も準備しておく。

応用活動：応用活動ワークシート1、2を人数分

基本活動の手順

進め方	留意点
1. ストーリーを説明する練習（7分） 1. 4コマまんが（ワークシート2）をクラス全体に見せ、何人かの学習者にストーリーを説明させる。 2. ワークシート1を使って、ストーリーをつなげる接続表現等を整理する。	➡ どんなストーリーにするかは学習者の自由だが、学習者の説明に飛躍や接続表現の不足があれば、教師は適宜補う。
2. 活動の説明（3分） • 4枚のイラスト（ワークシート3）を各自に配付し、活動について説明する。	➡ 人数が多い場合はグループ活動とし、ワークシート3はグループに1セットずつ配付する。
3. ストーリーを考える（5分） • 4枚のイラストを自由に並べ替えて、オリジナルストーリーを作る。	➡ 人数が多い場合はグループで相談しながら進める。
4. 説明の仕方を考える（10分） • ワークシート4を使って、発表するさいの表現や話し方を考える。	➡ 教師は学習者の様子を見て回り、学習者にアドバイスをしたり質問に答えたりする。
5. ストーリーを発表する（15分） 1. 1人ずつ、考えたストーリーを各場面のイラスト（発表用に拡大したもの）を見せながら発表する。 2. 聞いている学習者に、ストーリーの自然さ、絵との整合性、話し方の工夫などについて判定させる（ワークシート5）。	➡ 間のとり方やイントネーション、表情など、非言語的な面についても注意をうながす。発表中、教師はできるだけ遮らず、学習者が言葉に詰まった場合のみ補助する。また、教師は工夫した表現や全体で共有したほうがよい問題点などをメモしておき、終了後簡単にコメントする。
6. まとめ（5分） • おもしろかったストーリー、発表のよかった点などについて意見交換をする。	➡ ベストストーリー、ベストプレゼンターを選ばせるなどの活動をおこなってもよい。

基本活動の実際

学習者の例

> 順番：B→A→C→D
> 説明：これはハッピーエンドの恋愛の話です。
> （B）男の人は寒い中、道で好きな人をずっと待っていました。今日こそ告白してデートに誘おうと思っていたからです。
> （A）花束を渡そうとしたら、女の人は「ちょっと待って」と言って行ってしまいました。
> （C）ドキドキして待っていたら、女の人は彼のために温かいコーヒーを買ってきてくれました。彼が寒いのに我慢してずっと待っていたことを知っていたんです。
> （D）温かいコーヒーを飲んで、彼は体も心も温かくなりました。こうして2人は無事カップルになることができました。

　中級学習者は複文で話すのが難しく、単文を羅列することが多い。また、複文の場合も「〜て、そして（それで／それから）」を多用する傾向がある。

　ストーリー展開や因果関係を示す表現を使用したり、話す順番や、ハイライトシーンのまえの間の取り方、イントネーションにも留意すると、ストーリーをよりわかりやすく、おもしろく伝えることができる。

× 悪い例	○ よい例
文の長さ	
男の人は仕事が終わりました。それで渋谷へ行きました。渋谷で女の人を待っていました。	男の人は仕事が終わったので、渋谷へ行って女の人を待っていました。
男の人は彼女がいて、結婚したくて、その日プロポーズしようと思って、花を買って、渋谷へ行って、彼女に会いました。	男の人は結婚したいと思っている彼女がいました。そこで、その日プロポーズするつもりで花を買って彼女に会いに行きました。
文の接続	
思い切ってプロポーズしました。(接続詞なし)彼女は「ちょっと待ってて」と言って行ってしまいました。男の人はドキドキしながら待っていました。そして彼女が帰ってきて、温かいコーヒーを彼にあげました。男の人はずっと外で待っていて、とても寒くて、だから彼女はコーヒーを買ってきました。	思い切ってプロポーズしました。ところが、彼女は「ちょっと待ってて」と言って行ってしまいました。男の人はドキドキしながら待っていました。すると、女の人が帰ってきました。手には温かいコーヒーを持っていました。男の人がずっと外で彼女を待っていたことを、彼女は知っていたんです。
間やイントネーション	
男の人はドキドキしながら待っていました。すると女の人が帰ってきました。手には温かいコーヒーがありました。男の人がずっと外で彼女を待っていたことを、彼女は知っていたんです。	男の人はドキドキしながら待っていました。すると、……女の人が帰ってきました！ 手には温かいコーヒーがありました。男の人がずうっと外で彼女を待っていたことを、彼女は知っていたんですねー。

基本活動ワークシート1

ストーリーを話すときに、どこにどんな接続表現を入れたら効果的か考えましょう。

話の展開を示す表現	思いつき	そこで
	新しいできごと	そうしたら、すると、と
	意外な結果	ところが、それが、それなのに（＋不満）
	対比	一方、それに対して、逆に
	話題の転換	ところで、さて、それはさておき
まとめの表現		こうして、そういうわけで、結局

基本活動ワークシート2

① ② ③ ④

基本活動ワークシート 3

3-1 説明のコツ

（A）

（B）

（C）

（D）

3-1 説明のコツ

> 基本活動ワークシート 4

ストーリーの説明メモ

どんな話か (話の全体像)	例：ある若者のプロポーズの話。
場面設定 (いつ、どこで、誰が…)	例：主人公は会社員。仕事が終わってから彼女と渋谷で待ち合わせをしているところ。とても寒い日。

イラストの順番	ストーリー
Ⅰ （　　　） ↓	
Ⅱ （　　　） ↓	
Ⅲ （　　　） ↓	
Ⅳ （　　　）	

> 基本活動ワークシート 5

（　　　　　　　）さん　　　　　　　　　　　　　　　　　　（評価：A～C）

絵と説明が合っていたか	話の流れはわかりやすかったか	言葉はわかりやすかったか	声の大きさ・速度・間は適切だったか	表情や話し方に工夫があったか

コメント：

応用活動の手順

事前準備：自分の関心のあることや専門など、自分の考えを述べたいテーマを決め、自分の考えを裏づける図表やグラフなどを探してくる。図表やグラフは人数分コピーを用意しておく。

- 学習者のレベルによっては日本語以外の図表でも可。図表は教師が準備してもよい。（「応用活動の実際」図1・2参照）使用する図表の出所も示すように言う。

進め方	留意点
1. 図表についてまとめる（15分） ・ワークシート1を用いて、「話の全体像の提示」「図表の概要」「図表の着目ポイント」「考察」のメモを作成する。	➡ メモはポイントを絞り、箇条書きにさせる。（文章にすると読み上げてしまい、発表中、聞き手の反応を見なくなってしまうため）
2. 図表を使って発表する（20分） ・聞き手はワークシート2にメモをしながら聞き、各自の発表のあとに質疑応答をおこなう。	➡ 発表のさいにはメモの内容に適宜言葉を補って、聞き手が内容を整理しやすいようにする。 　資料全体を詳細に説明するのではなく、ポイントを絞るように注意させる。 　聞き手の知識に配慮し、専門用語などのわかりやすい説明方法を考えさせる。 　一文の長さや話すスピード、間のとり方についても配慮させる。 　発表中、教師は全体で共有したほうがよい点や問題点などをメモしておき、終了後簡単にコメントする。
3. まとめ（10分） ・図表を用いてわかりやすく説明するためにはどんな点に工夫したらよいかを考え、クラス全体で議論する。	➡ 発表で工夫されていると感じた点はどんなところか、気づいた点を挙げてもらう。

3−1 説明のコツ

応用活動の実際

下の図表を使った発表例

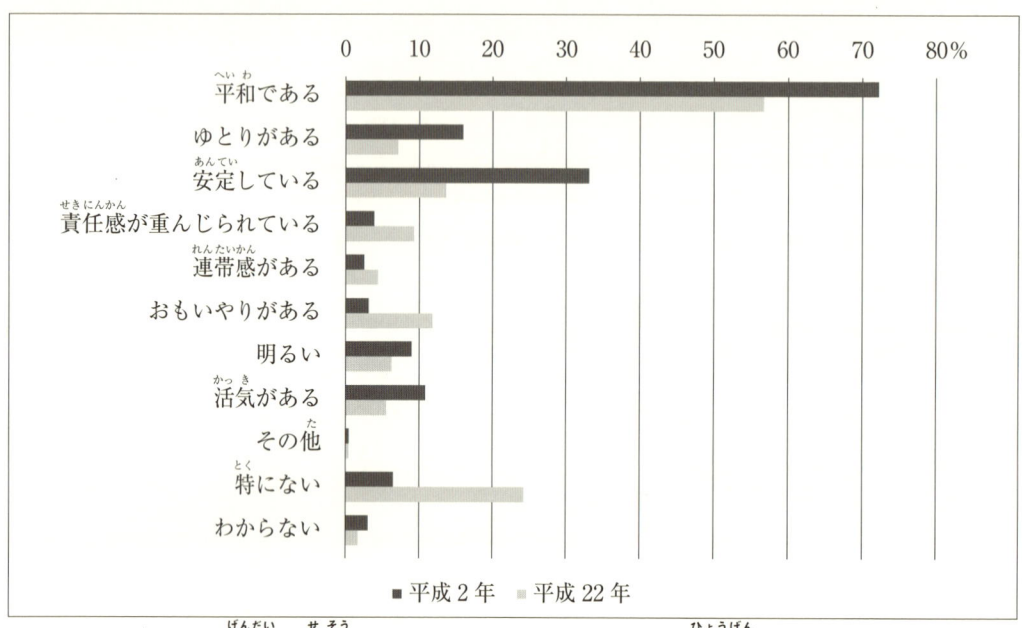

図1　現代の世相の明るいイメージにあてはまる表現（複数回答）

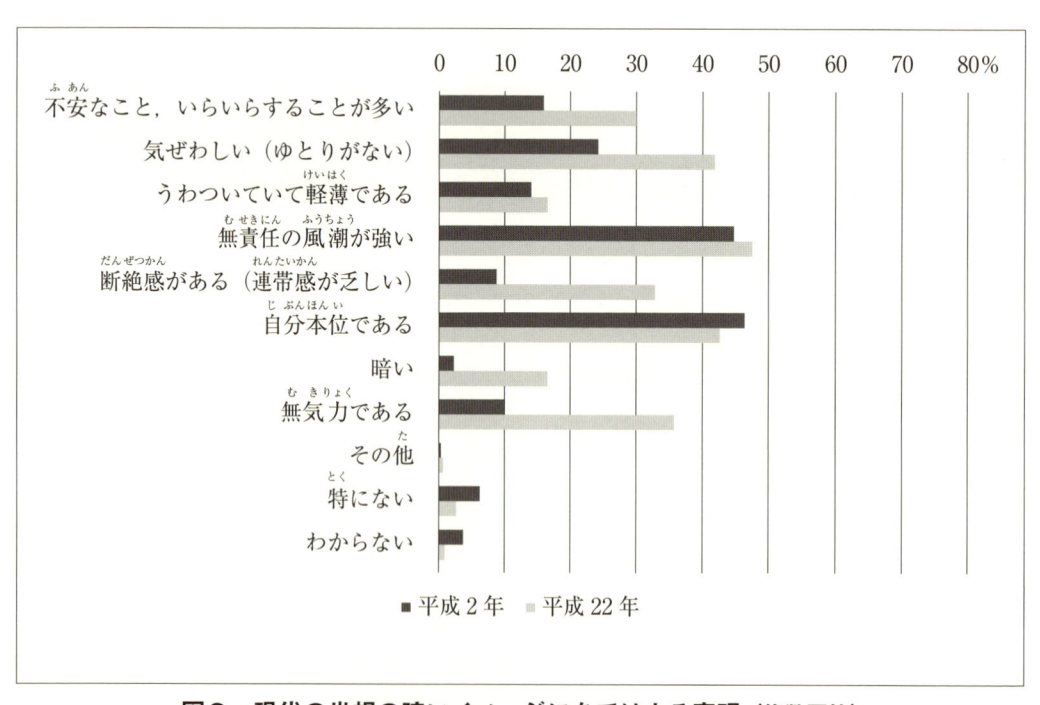

- 平和である
- ゆとりがある
- 安定している
- 責任感が重んじられている
- 連帯感がある
- おもいやりがある
- 明るい
- 活気がある
- その他
- 特にない
- わからない

■ 平成2年　■ 平成22年

図2　現代の世相の暗いイメージにあてはまる表現（複数回答）

- 不安なこと，いらいらすることが多い
- 気ぜわしい（ゆとりがない）
- うわついていて軽薄である
- 無責任の風潮が強い
- 断絶感がある（連帯感が乏しい）
- 自分本位である
- 暗い
- 無気力である
- その他
- 特にない
- わからない

■ 平成2年　■ 平成22年

内閣府「社会意識に関する世論調査」（平成2年、22年）より

発表例

①この20年で、日本社会は急速な情報化、少子高齢化、経済の悪化など、さまざまな大きな変化を遂げてきました。それにともなって、人々の社会意識はどのように変化しているでしょうか。

　→何についてこれから述べるのか、全体像を示す

②平成2年と22年におこなった内閣府の「社会意識に関する世論調査」に、現代の世相の明るいイメージと暗いイメージそれぞれについて、あてはまる表現を複数選択してもらうという調査結果がありました。対象者は、平成2年は7329人、平成22年は6214人の20歳以上の人です。

　→資料の概要を簡単に説明する

③まず図1を見てください。「明るいイメージ」は平成2年と比べると、平成22年では全体的に減少していますが、中でも半分以下に急減しているのが「ゆとりがある」「安定している」です。では、つぎに図2を見てください。「暗いイメージ」は20年で、「明るいイメージ」とは逆に全体的に増加しています。急増している項目のなかに、「不安が多い」「ゆとりがない」がありますが、これらは「明るいイメージ」の「ゆとりがある」「安定している」が急減している現象の裏返しであると言えるでしょう。

　→とくに着目した点についてポイントを整理して説明する
　　聞き手の反応を見ながら参照点を明示しつつ説明を進める

④図1・2を比較すると、全体として明るいイメージが減少している一方で、暗いイメージは増加傾向にあることがわかります。そしてその一因となっているのが経済の悪化であることが、図1・2の「ゆとり」「安心」に関する項目のデータの推移から推測できます。長く続く不況で明るい未来が見えない人々の心理が、社会にたいするイメージに反映されていると言えるのではないでしょうか。

　→考察をまとめる

応用活動ワークシート 1

以下の点に注意してメモを作りましょう。
- 専門用語は、わかりやすく言い換えるか説明を加える。
- 情報量が多くなりすぎないよう、ポイントをしぼる。
- 何をどんな順番で説明したらいいかを考える。

①話の全体像を示す	
②図表の概要を簡単に説明する	
③説明したいポイントを整理する	
④自分の考えをまとめる（考察）	

★実際に話すときには、つぎのような表現を用いると聞き手が内容を整理しやすくなります。
A. 概要の提示　例：「テーマは〜です」「〜について説明します」「〜のはなぜでしょうか」
B. ポイント指示　例：「図1のAを見てください」「20代と60代の回答を比較してみると〜」
C. ポイントの数の提示　例：「相違点として目立つのは2点です」「理由は三つあります」
D. ポイントの整理　例：「まず〜　また〜　さらに〜」「第一に〜　第二に〜　第三に〜」

応用活動ワークシート 2

(　　　　　　　)さん　　　　　　　　　　　　　　　　　　　　（評価：A〜C）

資料を適切に用いて説明できていたか	話の流れは整理されていたか	説明の言葉はわかりやすかったか	声の大きさ・速度・間は適切だったか
コメント：			

> コラム

言語活動におけるメタ言語の効果

　自分の伝えたいことを伝え、目的を達成するためには、相手の理解に合わせて情報の量や情報の出し方を調整する必要があります。そのさい、有効なスキルの一つが「メタ言語」の使用です。「メタ言語」とは、一言で言うと「言語を記述するための言葉」です。たとえば「〜というのは〜という意味だ／〜ときに使う言葉だ」など、私たちは言葉を相手にわかりやすく伝えるために、日常的にたくさんのメタ言語を使っています。

　杉戸（1996：21）では、「言語行動一般を見渡すと、われわれは自らの言語行動について、その言語の諸側面にまつわる表現伝達上の配慮や対人的な配慮のありかやありかたを『メタ言語行動』として明示的なことばで言ったり書いたりしている」と述べています。つまりコミュニケーションを円滑におこなうために、私たちはさまざまなメタ言語を駆使して会話をしているのです。会話におけるメタ言語の使用は、大きく「相手の心情に配慮したもの」と「相手のわかりやすさに配慮したもの」の二つに分けられます。ここでは「わかりやすさ」に配慮したメタ言語について紹介します。

　説明をわかりやすくするために用いるメタ言語には、以下のようなものがあります。

　枠組みの提示
　例：これから〜について話します／たとえば〜／具体的には〜／
　　　なぜかと言うと〜

　ポイントの数の提示
　例：理由は四つあります／問題はつぎの3点です

　ポイントの整理
　例：まず〜　また〜　さらに〜／第一に〜　第二に〜　第三に〜

　まとめの表現
　例：つまり〜／以上のように〜／このようなことから〜

　自己紹介、調べたことの発表、学校や会社の志望動機を述べる練習など、さまざまな機会に、上のようなメタ言語の使用を意識づけることによって、聞き手にわかりやすく整理して述べることができるようになります。

第3部　第2課

これは誰の意見？
引用を上手に使って自分の意見を補強しよう！

📄 概要
引用とは：引用とは、他者の考えを自分の発話や文章に取りこむことである。しかし、他者の引用と自分の主張の区別は難しく、引用の形ばかりが気になり、引用の目的自体がおろそかになることが多い。この課では、正確で効果的な引用の仕方を考える。

基本活動：引用を使って言葉の定義をさせる活動をとおして、引用をヒントに自分の主張を作りあげる方法を習得する。

応用活動：ディベート活動と、その活動をまとめることをとおして、バランスのとれた効果的な引用の方法を習得する。※ここでは「ディベート」という語を「広義のディベート」として用いている（競技ディベート等の「狭義のディベート」とは異なる）。

🎯 目的
自己と他者の意見を区別する：発表をするということは、まず自分の意見を持たなければならないことを理解させ、そのうえで、他者の意見とはっきり分けて話せるようにする。

引用の形と意義を理解する：他者の意見は、自分の意見の根拠にしたりまたは反論の対象にしたりすることで、自説の補強材料になることを理解させ、引用の効果を実感させる。

レベル	基本活動：中級前半〜	応用活動：中級後半〜
時間	基本活動・応用活動：いずれも45分	
人数	基本活動：2人以上	応用活動：3人以上
準備	基本活動：基本活動ワークシートを人数分	
	応用活動：応用活動ワークシート1、2をグループ数分	

基本活動の手順

進め方	留意点
1. 導入（5分） ● ブレインストーミングを使って、定義の仕方を導入する。教師がたとえば「パソコンとは」というキューを出し、学習者にいろいろ定義を出させて、まとめてみせる。	➡ ブレインストーミングなので、無制限に定義を出してもらうのがよい。できれば全員に出してもらい、名前と意見を板書する。 　教師は板書された内容を引用して、パソコンについての自分なりの定義をする。
2. 発表原稿作成（15分） 1. ワークシートを配付し、そこから意見を引用しつつ、「オタク」について自分なりの定義を立てることを伝える。 2.「オタク」の定義に関する学習者自身の発表原稿を作成する。	➡ 学習者に1台ずつPCがあるオンラインの環境なら、ワークシートを使わず、ネット上の意見を引用させたり、「オタク」以外の語の定義をさせてもよい。 ➡ ワークシートの意見はすべてを引用する必要はなく、いくつか選んでよい。 　時間が取れなければ、発表原稿はメモ書き程度でよい。
3. 発表（15分） ● 引用を入れつつ、学習者が「オタク」についての自分なりの定義を発表する。	➡ 一人2〜3分程度。全員が発表できなければ、何人かを指名する形にする。
4. フィードバック（10分） ● フィードバックはまず、引用の形をうまく使い、自分の意見と引用を区別できていたかという観点からおこなう。そのうえで、自分の意見をどのように述べていたかを確認する。	➡ 引用と意見という観点から、個々の学習者がどのような文型を使っていたか、リスト化して整理する。 　引用では「〜は…と言っていました」「〜によれば…だそうです」、意見では「…だ思います」「私にとってオタクとは…です」など、基本的な文型は、時間がなくても最低確認する。

基本活動の実際

× 悪い例	○ よい例
（冒頭で）女子高校生の高橋さんによれば、「オタクとは、すべてのことを忘れて、自分の好きなことに熱中できる人のこと」だそうです。	（冒頭で）みなさん、こんにちは。今日は最近の日本文化について発表します。 　まず、最近の日本文化の特徴は何でしょうか。いろいろありますが、世界的に注目を集めているのは、オタク文化でしょう。
※いきなりオタクの定義に入らず、聞き手と、オタクという話題を共有する段階を経るようにする。	
オタクとは、アニメやゲームが飯より好きな人のことです。僕も含めてゲームのオタクは、ご飯を食べることも忘れ、生活が昼夜反対になっている人が多いです。じつは、発表者の私もその一人です。	男子高校生の小林さんは、「オタクとは、アニメやゲームが飯より好きな人のことだ。僕も含めてゲームのオタクは、ご飯を食べることも忘れ、生活が昼夜反対になっている人が多い。」と言っています。じつは、発表者の私もその一人です。
※引用と意見の区別は明確にする。引用するときには、誰が何と言ったかがわかるような引用の形をとる。	
会社で課長をしている渡辺さんは、「オタクとは、自分の好きなものにしか興味を持てない人のこと。オタクは社会性がなくて困る。」と言っています。	会社で課長をしている渡辺さんは、「オタクとは、自分の好きなものにしか興味を持てない人のこと。オタクは社会性がなくて困る。」と嘆いています。オタクな部下がたくさんいて、悩んでいるのかもしれません。
※左の例が悪いわけではないが、学習者全員がきちんと引用ができるレベルにある場合、引用が単調にならないように、引用内容に合わせて「言う」→「嘆く」としたり、その発言の背後の状況を分析してみせたりする工夫を導入するのもよい。	

3−2 これは誰の意見？

× 悪い例	〇 よい例
大学生の久保田さんによれば、「オタクは、家に引きこもり、ネットで社会的な関係を保つ人です。オタクの人間関係はバーチャルの世界にある」そうです。 　専門学校生の柴田さんによれば、「オタクは、秋葉原やコミックマーケットなどでコスプレをしている人です。オタクは家のなかにいるわけではない」そうです。 　また、主婦の安藤さんによれば……	大学生の久保田さんによれば、「オタクは、家に引きこもり、ネットで社会的な関係を保つ人です。オタクの人間関係はバーチャルの世界にある」そうですが、専門学校生の柴田さんによれば、「オタクは、秋葉原やコミックマーケットなどでコスプレをしている人です。オタクは家のなかにいるわけではない」そうです。この二つの意見のどちらが正しいのでしょうか。 　私は、どちらも正しく、オタクにはこの二つの面があると思っています。

※引用は、引用をすることが目的ではない。その引用がどのような意味を持つか、そして、その引用にたいする発表者の意見がどのようなものであるかがわかるようにする。

これまで引用してきた意見からわかるように、オタク文化は、優れた面がいろいろあると思います。 　みなさんはどう思いましたか。 　以上で私の発表を終わります。どうもありがとうございました。	これまで引用してきた意見からわかるように、オタク文化は、優れた面がいろいろあると思います。 　しかし、私には、オタクの人のなかにはコミュニケーションがうまくなくて、一人でいることが好きな人が多いという印象があります。やはり人間はたくさんの人とコミュニケーションをとって社会を作っていますから、オタク文化にも社会性は必要であり、社会性があって初めてオタク文化も国際的に発展すると思います。

※最後に、それまでの引用を踏まえて、自分の意見をもう一度きちんと示し、聴衆に印象づけて終わるようにする。

基本活動ワークシート

●オタクとは何か

①15歳女子高校生：高橋さん
オタクとは、すべてのことを忘れて、自分の好きなことに熱中できる人のことです。オタクは青春のすべてです。

②40歳課長（男性）：渡辺さん
オタクとは、自分の好きなものにしか興味を持てない人のこと。オタクは社会性がなくて困る。

③16歳男子高校生：小林さん
オタクとは、アニメやゲームが飯より好きな人のことだ。僕も含めてゲームのオタクは、ご飯を食べることも忘れ、生活が昼夜反対になっている人が多い。

④21歳OL：藤川さん
オタクとは、現実の男性・女性より、二次元の男性・女性に萌える人のことです。私のまわりにも現実の彼氏よりもマンガの男性が好きな人がいます。

⑤20歳男子大学生：久保田さん
オタクは、家に引きこもり、ネットで社会的な関係を保つ人です。オタクの人間関係はバーチャルの世界にあります。

⑥18歳専門学校生（女性）：柴田さん
オタクは、秋葉原やコミックマーケットなどでコスプレをしている人です。オタクは家のなかにいるわけではありません。

⑦48歳主婦：安藤さん
オタクとは、何かに異常にハマっている人のことです。興味のバランスを失ってアニメばかり見ているうちの息子の将来が心配になってきます。

⑧36歳会社員（男性）：桜井さん
オタクとは、若い人がかかる風邪だ。一時的に夢中になっても、そのあとすっかり忘れてしまう。しかし、何かに集中したという経験が、後の人生に役に立つ。

⑨52歳大学教授（女性）：秋山さん
オタクとは、消費活動をとおして、日本のサブカルチャーを支える人である。サブカルチャーは、低く見られがちであるが、歌舞伎など、日本文化を支えてきた歴史がある。

⑩44歳専門学校教員（男性）：新井さん
オタクとは、新しいものを生産するクリエーターです。最初はマネ（二次創作）から始めることが多いものの、それにオリジナリティを加え、新しい文化に発展させることができる一種の職人です。

3-2 これは誰の意見？

応用活動の手順

進め方	留意点
1. 導入（5分） 1. 3〜5人のグループに分かれる。 2. 各グループで代表者を決め、ワークシート1からテーマを選択する。 3. 選んだテーマについて、賛成派と反対派が同数（1対1または2対2）になるように分かれる。代表者はジャッジとなる。	➡ 各グループの人数はできるだけ奇数になるようにする。 ➡ テーマは、全員が体験しているであろう内容、さまざまな意見が出てくることが予想されるものを、グループの代表者に選ばせる。 ➡ グループの人数が偶数の場合は、賛成派か反対派のどちらかを1人減らす。
2. ディベート（20分） 1. 賛成派と反対派が、一人ひとりそれぞれの主張とその根拠を述べる。 2. その後、その主張と根拠にたいして、反対の立場の者が質問と反論をおこなう。 3. 代表者は司会を務め、それぞれの意見をワークシート2にメモしておく。最後にどちらの意見が優勢か判定する。	➡ ディベート自体も引用活動である。質問と反論、およびその回答と再反論の場合に引用を使う。その点を教師はあらかじめ強調し、また個別にもコメントする。 ➡ 代表者は、メモに基づいて発表ができるよう、準備をする。
3. 発表とフィードバック（20分） 1. 代表者は、みんなのまえで、賛成派と反対派の意見を引用しつつ、自分の見解を述べる。 2. 発表が終わるたびに、代表者の発表の引用が適切であったかどうか、引用された側は意見を述べる。 3. 優れた引用がどのようなものか、クラス全体で考える。	➡ 代表者は、いずれの立場に立つかを冒頭で明確にし、その立場から引用をおこなう。代表者の見解は、個人的な見解ではなく、ディベートの判定に基づくものとする。 　録音機材が用意できれば録音し、すぐあとのフィードバックのさいの確認に使う。 ➡ 引用された側は、代表者が自分と同じ立場の場合、自分の意見が効果的に紹介されていたかを述べる。一方、代表者が自分と異なる立場の場合、自分の意見が正当に引用されていたかを述べる。

応用活動の実際

ディベート

× 悪い例	○ よい例
日本の食べ物は健康にあまりよくないと思います。終わりです。	日本の食べ物は健康にあまりよくないと思います。しょうゆ、みそなど、塩分の高い食べ物が多く、高血圧の原因になるからです。
※主張はかならず根拠とセットにして示す。	
日本の食べ物は健康にいいと思います。世界中どこへ行っても、豆腐や寿司の人気が高いからです。	日本の食べ物は健康にいいと思います。日本は、平均寿命が世界的に見てももっとも高い国の一つだからです。
※根拠は主張を論理的に支えるものでなければならない。	
A：日本の食べ物は健康にいいと思います。 B：そうですか。そうは思いませんけど。	A：日本の食べ物は健康にいいと思います。 B：あなたの言う「日本の食べ物」とは何ですか。また、「健康にいい」というのはどういうことですか。
※相手の使っている言葉の意味を質問し、議論を深めたり、反論につなげたりする。	
A：日本は暮らしにくいです。物価も高いし、家も狭いからです。 B：そうですね、たしかに。	A：日本は暮らしにくいです。物価も高いし、家も狭いからです。 B：たしかにそうした面はあります。でも、安全だし、電車も便利だし、人々も親切です。
※反対の立場に立つ人は、相手の意見に納得せず、できるだけ多面的に反論を考える。	
A：電車のなかで携帯電話を使うと、まわりの迷惑になります。 B：そんなことないでしょ？	A：電車のなかで携帯電話を使うと、まわりの迷惑になります。 B：でも、もしその人がお医者さんで、患者さんからの電話だったらどうしますか。
※反論は具体的におこなう。	

発表とフィードバック

× 悪い例	○ よい例
私は、授業中に食べ物を食べたりするのはよくないと思います。○○さんは「話している先生の迷惑になるのでやめたほうがよい。」と言っていました。 　でも、私は、「講義ではなくゼミなら、むしろみんながリラックスできてよい。」と言いました。	私は、授業中に食べ物を食べたりするのはよくないと思います。ゼミは別に考える必要がありますが、講義では、○○さんは「話している先生の迷惑になるのでやめたほうがよい。」と言っていました。

※意見は、正確かつ公平に紹介する。

日本は暮らしにくい国だと思います。物価が高いからです。○○さんからは「東京の物価はロンドンやモスクワと変わらない。」という意見が出ましたが、私の国と比べるとはるかに高いです。	日本は暮らしにくい国だと思います。物価が高いからです。○○さんからは「東京の物価はロンドンやモスクワと変わらない。」という意見が出ましたが、△△さんや××さんからは「私の国と比べるとはるかに高い。」という意見が出ました。

※発表者が意見を述べる場合、その根拠は自分の体験ではなく、あくまでも自分以外のグループのメンバーの意見を引用する形をとる。

「日本人は、外国人に道を聞かれたら、親切に説明してくれるので優しい。」という○○さんの意見も、「日本人は、親しくなっても積極的に声をかけてくれないから冷たい。」という△△さんの意見もあります。どちらの意見も正しいのではないでしょうか。	「日本人は、外国人に道を聞かれたら、親切に説明してくれるので優しい。」という○○さんの意見はありました。しかし、「日本人は、親しくなっても積極的に声をかけてくれないから冷たい。」という△△さんの意見に説得力がありました。つまり、日本人は声をかけられたら対応するが、積極的に人とかかわらず、それが冷たい感じを与えるのです。

※発表者は自分の立場を明確にする。

3−2 これは誰の意見？

応用活動ワークシート1

●ディベートのテーマ

①あなたは、日本の食べ物は健康(けんこう)によいと思いますか、あまり健康(けんこう)によくないと思いますか。

②日本では電車のなかで携帯電話で話すとマナー違反(いはん)になります。あなたは電車のなかで携帯電話で話してもいいと思いますか。話さないほうがいいと思いますか。

③あなたは、授業中(じゅぎょうちゅう)に食べ物を食べたり飲み物を飲んだりしてもいいと思いますか。よくないと思いますか。

④あなたは、日本は暮(く)らしやすいと思いますか。暮(く)らしにくいと思いますか。

⑤あなたは、日本は外国人に優(やさ)しいと思いますか。冷(つめ)たいと思いますか。

⑥あなたは、家のパーティーに招待(しょうたい)されたとき、約束(やくそく)の時間よりまえに行ったほうがいいと思いますか。約束(やくそく)の時間よりあとに行ったほうがいいと思いますか。

⑦あなたは、結婚(けっこん)したとき、名字が変(か)わることに賛成(さんせい)ですか。反対(はんたい)ですか。

⑧あなたは、離婚(りこん)は、関係(かんけい)が悪(わる)くなるまえに早めにしたほうがいいと思いますか。できるだけしないほうがいいと思いますか。

⑨あなたは、朝早く起きて夜早く寝(ね)るほうがいいと思いますか。夜遅くまで起きて朝はゆっくりするほうがいいと思いますか。

⑩あなたは、両親(りょうしん)の許可(きょか)なしに結婚(けっこん)してもいいと思いますか、よくないと思いますか。

3-2 これは誰の意見？

応用活動ワークシート2

（　　　　　　　　）さんの意見：

それにたいする質問と回答：

それにたいする反論と再反論：

（　　　　　　　　）さんの意見：

それにたいする質問と回答：

それにたいする反論と再反論：

（　　　　　　　　）さんの意見：

それにたいする質問と回答：

それにたいする反論と再反論：

（　　　　　　　　）さんの意見：

それにたいする質問と回答：

それにたいする反論と再反論：

3-2 これは誰の意見?

コラム

引用の作法

　引用は、論文やレポート、学会での研究発表といった学術的なジャンルでとくに重視されます。誰が最初に発見したかというオリジナリティが問われるからです。

　引用は、書き手自身の考えではなく、他者の考えであるということを意味します。一方、引用せずに断言したり、「〜と思う／思われる」で示すことは、それは、それまでにない新しい考えで、書き手自身が発見したものであるということを意味します。

　もし、他者の考えであるにもかかわらず、あたかも書き手自身の考えのように断言してしまうと、盗用の容疑をかけられてしまいます。一方、書き手自身の考えであるにもかかわらず、引用の形式を選択してしまうと、せっかく書き手が発見した研究成果が、誰のものかわからなくなってしまうおそれがあります。したがって、引用は、学術的なジャンルにおいて、適切に使い分けなければならないものです。

　引用で守らなければならないルールは、以下の3点です。

　　①誰がいつどこで述べた意見かというのを明示すること。
　　②使われている表現が、二次的利用であることを明示すること。
　　③形態・内容ともできるかぎり忠実に再現すること。

　①は、発表中は、出典にかならず言及するとともに、ハンドアウトの参考文献のところで詳しい書誌データを紹介しておくことが必要です。

　②は、書くときは「　　」などを使いますが、口頭発表では、出典と「と言っています」「と述べられています」などと引用の「と」をきちんと使うことが大切です。

　③は、原文をそのまま引用するときは問題ありませんが、時間の関係で要約して示すときには、原文の意図をできるだけ曲げないように示すように心がけます。

　引用は、書き手の考えを支持するときにも使えますし、それを批判することで自分の意見を明確にすることができます。その意味で効果的なレトリックです。

　しかし、前者の場合、有名な学者や作家の見解を下敷きにすると効果的ですが、あまり露骨にやると虎の威を借る狐と受け取られてしまいます。一方、後者の場合、通説の否定によって自己の主張を先鋭化できますが、批判のためだけに先行研究を持ちだすのは感心できません。先人の知恵には一定の敬意を表する姿勢が聞き手にも好ましく映ります。

　引用は、学術的な発表をそれらしく見せる効果がありますが、専門家が目を凝らして見るところですし、近年は著作権の問題が厳しくなっています。コピー＆ペーストが手軽にできる時代だからこそ、引用は慎重にという教育が重要になってきていると思います。

第3部　第3課

フィラーにトライ！

フィラーを使って自然な印象で話そう！

概要

フィラーとは：発話時に言い淀んだり止まってしまったりするとき、沈黙の代わりに挿入する「えー」とか「まあ」などをフィラーと呼ぶ。この課ではまずフィラーの働きを理解し、つぎにフィラーを使って自然な印象でスピーチをするための活動をおこなう。

基本活動：言葉を思いだしたり言い方を考えたりするときによく使われる基本的なフィラーの働きを理解し、スピーチに生かす。スピーチは物の描写など説明することを中心としたテーマでおこなう。

応用活動：基本活動で紹介するフィラーのほかに話の展開などに使う一段高度なフィラーの働きを理解し、スピーチに生かす。スピーチは自分なりの考えや意見を述べるテーマでおこなう。

目的

フィラーの働きを理解する：フィラーの挿入されたモデル文を使ってフィラーの働きを理解し、リズムやイントネーションなどを練習する。

自分でフィラーを選んで使ってみる：学習したフィラーのなかから各学習者が適当なフィラーを選んでスピーチをおこない、スピーチの印象をみんなからフィードバックしてもらう。

レベル　　基本活動：中級前期～　　応用活動：中級後期～

時間　　基本活動・応用活動：いずれも45分

1人2分（原稿用紙1枚）程度のスピーチをおこなうと想定。人数が多い場合にはグループに分かれて活動してもよい。

人数　　基本活動・応用活動：いずれも4人以上。最低2人でも可能だが、4人程度の参加が望ましい。

準備　　基本活動：基本活動ワークシート1、2、4を人数分。3を（クラスの人数−1）×人数分。1は拡大したものを用意しておくとよい。

応用活動：応用活動ワークシート1、2、4を人数分。3を（クラスの人数−1）×人数分。1は拡大したものを用意しておくとよい。

基本活動の手順

進め方	留意点
1. フィラーの練習（10分） 1. ワークシート1を配付し、フィラーについて説明する。 2. ワークシート1の文を教師のあとについて読み、練習する。まず、全員で一斉に音読し、その後1人ずつ音読する。 3. ワークシート1の文を、1人ずつ、何も見ないで、フィラーを挿入しながら再生する。	➡ ワークシート1を拡大したものを黒板に張り、顔を上げて練習するのが望ましい。 　教師はリズムやイントネーションに気をつけて読みあげるよう心がける。 　全員で一斉に音読するのは、リズムやイントネーションに慣れさせるためである。
2. 活動の説明（3分） ● ワークシート2を配付し、活動について説明する。 活動の内容：1人2分程度で好きなテーマを選んでフィラーを効果的に使いながらスピーチする。	➡ ここでの学習は「フィラー」であり「うまく説明する」ことではないので、「自分が何を話そうか考えている間（ま）をとるためにフィラーを使ってみる」ということを意識させるようにする。
3. スピーチの内容を考える（7分） ● ワークシート2を使い、スピーチのテーマを決め、話すポイントをメモにまとめる。	
4. スピーチをする（15分：1人約2分） ※人数によって、グループで活動。 1. ワークシート3を配付する。 2. 1人ずつスピーチをする。聞いている学習者はワークシート3を使ってフィラーの使用について評価する。 3. スピーチについて質疑応答をおこなう。	➡ ワークシート3の枚数は、1人につき、発表者の人数－1枚。 ➡ フィラーは使いなれないと出にくいので、拡大して黒板に張ったワークシート1を適宜参照させる。 ➡ スピーチ後の質疑応答は、質問が出にくい場合があるので、2人ぐらいあらかじめ質問者を指定しておくとよい。

進め方	留意点
5. まとめ（10分） 1. ワークシート4を配付する。 2. ほかの学習者からコメントシートをもらい、ワークシート4に自分のフィラーの使い方についてまとめる。 3. クラスでフィラーについて気がついたことを話し合う。	➡ 話し合うことによって、フィラーの使用についての内省を深める。

基本活動の実際

ワークシート4を使った教室活動の進め方の例
具体的なコメントを学習者から引きだす

× 悪い例	○ よい例
Q1：意識してフィラーを使ってみてどうでしたか。	
A：よかったです。 **教師**：そうですか。	**A**：よかったです。 **教師**：どんな点がよかったですか。 **A**：考えるときに「エー」を使うと、スピーチが止まった印象にならなかった点です。
Q2：ほかの人がフィラーを使っているのを聞いて、どうでしたか。	
A：まあまあでした。 **教師**：そうですか。	**A**：まあまあでした。 **教師**：まあまあというのは、どういう意味ですか。いい点・よくない点などありませんか。 **A**：たくさん使っている人はちょっと話がわかりにくかったです。でもCさんのスピーチはフィラーを使ってなめらかでした。 **教師**：Cさんくらいの使い方だと聞きやすいということですね。
Q3：みんなからもらったコメントを見て答えてください。	
①よかった点②改善したほうがよい点を学生から挙げさせて終わる。	①よかった点②改善したほうがよい点を学生から挙げさせて、それを板書し、みんなで確認する。 とくに複数挙がった意見などは○などして再確認する。

よい印象にならない発話については否定せず話し合う

× 悪い例	〇 よい例
A：同じフィラーばかり使うのはやめたほうがいいです。聞きにくいです。 教師：そうですか。	A：同じフィラーばかり使うのはやめたほうがいいです。聞きにくいです。 教師：どうして聞きにくいと思うのですか。 A：そのフィラーの印象が強くてスピーチが聞きにくく感じるからです。 教師：ほかのみなさんはどうですか。やめたほうがいいと思う人は手を挙げてください。 （賛成多数の場合） 同じフィラーばかりを使うと印象がよくないようですね。 （賛成少数の場合） 同じフィラーを使ってもあまり印象は悪くならない人が多いようですね。

母語のフィラーが出てしまう場合はその点を取りあげる

× 悪い例	〇 よい例
母語のフィラーを使用しているケースに触れない。	学習者から指摘が出ない場合は教師から問いかける。 教師：無意識に母語のフィラーを使っていた人がいますが、どんなフィラーを使っていたか気づきましたか。 A：中国語の「那个」を使っていました。 教師：みんなのなかで自分だと思った人はいますか。 A：私かもしれません。 教師：自分で気づけることは大切です。自分で気づけば注意することができますから。はじめは難しいと思いますが、少しずつ日本語のフィラーに慣れていってください。

※「那个（neige）」が母語（中国語）のフィラーであるということには気づきやすいが、母語の発音と日本語の発音が非常に近いフィラーなどもあり見過ごしやすい。

基本活動ワークシート 1

対象	フィラー	働き	練習
主に自分のため	エー（ト）	言葉や内容を思いだすときに使う	①
主に相手のため	アノー・ソノー	言い方を考えるときに使う	②③

① 最近、葬式で使うひつぎも環境を考えて段ボールで作っているところがあるそうです。ひつぎは……**エーット**……たしかエコひつぎと呼ばれていましたね。

② 「告白」という映画を紹介したいと思いますが、この映画を一言で言うと、**アノー**…全編とおしてとても衝撃的な映画だと言えると思います。

③ 最近気に入っているものは、ちょっと説明しにくいんですが、**ソノー**形は一見おすしのえびのように見えるんですが、実は貯金箱というもので、もちろん大きさはおすしよりずっと大きいものです。

基本活動ワークシート 2　話すポイントメモ

① 何について話すか
例：「私の国の珍しい○○」「私の趣味」「お勧めの○○」

② どんな（もの・ところ・こと）か説明する

もの（色・形・使用目的・味・触感など）

ところ（何があるか・どんなところか・有名なものは何かなど）

こと（いつ・どこ・誰・何・どうしたなど）

③ 感想・理由

基本活動ワークシート 3　　コメントシート

（　　　　　）さん	
チェック項目	印象
①フィラーの使用数	多い ・ ちょうどいい ・ 少ない
②使用箇所	自然 ・ まあ自然 ・ 不自然
③リズムやイントネーション	聞きやすい ・ ふつう ・ 聞きにくい
全体の印象（聞きやすさ・なめらかさ・わかりやすさ　など）	

基本活動ワークシート 4　　フィードバックシート

名前	
Q1：意識してフィラーを使ってみてどうでしたか。	
Q2：ほかの人がフィラーを使っているのを聞いて、どうでしたか。	
Q3：みんなからもらったコメントを見て答えてください。	
①よかった点	
②改善したほうがよい点	

3-3 フィラーにトライ！

応用活動の手順

基本活動の手順を参照

応用活動の実際

教師の役割：聞き手からより具体的なコメントを引きだす

より具体的に

× 悪い例	○ よい例
A：よかったです。 教師：そうですか。	A：よかったです。 教師：どんなところがいいと思いましたか。 A：「マア」の使い方です。 教師：「マア」の使い方ですか。「マア」の使い方がどうしてよかったか、もう少し説明してください。 A：「マア」と言うとき、少し強調して使っていたので、今から意見を言うのかなと意識できました。

コメントを否定的に終わらせない

× 悪い例	○ よい例
A：たくさん「デ」を使うとよくないです。 教師：そうですね。ちょっと聞きにくいですね。	A：たくさん「デ」を使うとよくないです。 教師：なぜそう感じますか。 A：「デ」ばかり印象に残って何を話しているか聞き取りにくいです。 教師：ほかのみなさんはどうですか。 （賛成多数の場合） フィラーを使いすぎると印象がよくないようですね。 （賛成少数の場合） フィラーをたくさん使ってもあまり印象が悪くならない人が多いようですね。

応用活動ワークシート1

フィラー	働き	練習
エー	新しい話を始める	①
デ	同じ話を続ける、もとの話に戻す	②
マ（ー）	話を（いったん）まとめる	③
ナンカ	根拠がはっきりしないまま判断する	④
ソーデスネー	聞き手と疑問を共有する	⑤

① **エー**今日は恋愛についてちょっとお話ししてみたいと思います。

② 憧れの彼が先に帰ったんです。**デ** 急につまらなくなって **デ** 私も帰りました。

③ だから **マ（ー）** 大切なことは自信を持つことですね。

④ **ナンカ**自信を持つことによって、物事すべてが肯定的に考えられる気がするんです。

⑤ 聞き手：自信を持つことによって、どんないい効果がありましたか。
　話し手：**ソーデスネー**いつも笑っていられるということでしょうか。

注：「デ」はフィラーとしても扱われるが、もともとは接続詞「それで」の変わったもの。
注：「ナンカ」はフォーマルな会話ではあまり用いられない。

応用活動ワークシート2　話すポイントメモ

① 何について話すか［新しい話を始める］
　以下から好きなテーマを選んでスピーチする。
a. 最近気になるニュース　b. 私の尊敬する人　c. 最近興味があること
d. カルチャーショックを受けたこと　e. ○○について（○○は時事的な話題）

② どんな{こと・もの・人}か説明する［同じ話を続ける、もとの話に戻す］［話をいったんまとめる］

③ それについての意見・判断の根拠などを述べる［根拠がはっきりしないまま判断する］
　［同じ話を続ける、もとの話に戻す］［話をまとめる］

3-3 フィラーにトライ!

応用活動ワークシート3　コメントシート

（　　　　　　　　　）さん	
チェック項目	評価
①フィラーの使用数	多い・ちょうどいい・少ない
②使用箇所	自然 ・ まあ自然 ・ 不自然
③フィラーの種類	適切 ・ まあ適切 ・ 不適切
④リズムやイントネーション	聞きやすい ・ ふつう ・ 聞きにくい
全体の印象（聞きやすさ・なめらかさ・わかりやすさ　など）	

応用活動ワークシート4　フィードバックシート

名前	
Q1：話の展開部に、意識してフィラーを使ってみてどうでしたか。	
Q2：ほかの人のフィラーの使い方で、よかった点・よくなかった点はどんなことですか。	
Q3：みんなからもらったコメントを見て、自分のフィラーの使い方でよかった点・改善したほうがよい点はどんなことですか。	

※とくに話の展開部でフィラーをうまく使えたか、話がわかりやすかったかについて書いてください。

3-3　フィラーにトライ！

コラム

フィラーとその効用

　「フィラー (filler)」とは、もともと「詰め物」「補填物」という意味ですが、言語研究や音声研究においては、発話に見られる「エー」や「マア」など意味内容には直接関係のない発話を指します。日本語研究においてはこれまで「言い淀み」「つなぎの語」「間投詞」などさまざまな用語で呼ばれてきました。また、何をフィラーと見るかは研究者によって異なりますが、この課ではフィラーを広くとらえています。

　フィラーの使用によっては、話が中断され、聞きにくいという印象を与えることがあることから、学習者や教師のなかには、フィラーの練習の必要性に疑問を持つ人がいるかもしれません。しかし、フィラーは、あらかじめ内容の決まった原稿を読む場合などは別として、内容を考えながら話す場合、話の構造やポイントを伝える働きもありますし、聞き手に考える猶予を与えることもできます。また、自分の遠慮した気持ちや驚きや不満などを間接的に表現するときにも使えて便利です。一般に、母語話者の場合は使いすぎる傾向があるので、減らすように指導したほうがよいのですが、使用を避ける傾向が強い学習者には、むしろ増やすように指導したほうが聞き手に聞きやすい話し方ができるようになります。

　フィラーは日本語特有のものではなく、さまざまな言語においても見られます。英語にも"er, well, you know"などのフィラーがありますし、学習者が目標言語において母語のフィラーを使用することもよくあります。フィラーは目標言語が上達すればするほど適切に使われていくもので、全米外国語教育協会（ACTFL）は外国語の口頭運用能力を評価する判断材料にフィラーの使用を挙げています。みなさんもこの機会にフィラーについて考えてみてはいかがでしょうか。

第3部 第4課

依頼のテクニック
お願いしたいことをうまく表現できるようになろう！

概要
依頼のテクニックとは：相手にできるだけ快く依頼を承諾してもらうには、いくつかのポイントに配慮する必要がある。そのポイントを意識することによって、相手との依頼交渉を円滑に進めることができる。
基本活動：会話の相手・場・内容を考えながらさまざまな依頼の仕方を学ぶ。
応用活動：高額のお金の貸し借りというお願いしにくい内容の依頼を試みる。

目的
相手の気持ちに配慮して依頼ができるようになる：依頼を成功させるために、会話の相手・場・内容の三つに配慮する。
お願いしにくい内容を相手に承諾してもらうためのテクニックをみがく：依頼の承諾を得にくい場面でどのように依頼すればよいかを会話の相手・場・内容のほかに相手の心理を考慮に入れた方法も取りいれて、依頼のテクニックをみがく。

レベル
基本活動：中級後期〜　　**応用活動**：上級前期〜

時間
基本活動・応用活動：いずれも45分

人数
基本活動・応用活動：いずれも6人以上（3人×グループ数）

準備
基本活動：基本活動ワークシート1を1セット、2を人数分
応用活動：応用活動ワークシート1、3を人数分、2をグループ数分
応用活動ワークシート4を（グループ数−1）×人数分

基本活動の手順

事前準備：小さい箱を三つ用意し、学習者にわかるようにそれぞれの箱に「相手」「場」「内容」と書き、箱の上には手が入るくらいの穴を開けておく。ワークシート1にあるようなカードを作成し、各箱に入れておく。

進め方	留意点
1. 全体で活動内容を共有する（3分） 1. 教師はそれぞれの箱から紙を1枚ずつ取りだし、取りだした紙に合った条件で依頼文をクラス全体で作成する。 2. 教師からほかの条件（たとえば紙に「友達」とあったら、相手がバイトの先輩だったらどうかなど）を提示して、その場で依頼文を作らせる。	➡ この活動での目的は依頼の仕方を学ぶことである。1では、取りだした紙を板書し、学習者が確認しながら依頼文を考えられるようにする。2では、「相手」「場」「内容」によって表現形式が変わることを意識させる。
2. 表現形式と会話の展開を確認する（8分） ● ワークシート2の表現形式をクラス全体で読みあげながら、適宜その表現がどんな「相手」「場」「内容」に合うか、考えさせる。	➡ 会話の展開もやはり「相手」「場」「内容」によって変わる部分がある（相手に負担の大きい依頼なら事情説明が十分に必要であるなど）ので、その点を指摘しておく。
3. 依頼文を作る（10分×グループ数） 1. クラスを3人ずつのグループに分ける。 2. グループごとに順番に教室の前に出てきて、「相手」「場」「内容」の箱から（Aさんは「相手」、Bさんは「場」、Cさんは「内容」というふうに）1枚ずつ紙を引き、その状況に合った依頼文を1人ずつその場で作り発表する。	➡ 依頼文はできるだけ1人1文ずつ作ってもらうのが望ましいが、1人ではできないという学習者には、同じグループの友人の協力を仰ぐことも認める。

進め方	留意点
3. ほかのグループは三つの依頼文を聞いて、グループごとに各依頼文について印象を話し合い、それをクラスで共有する。（教師はその内容を板書しておく。）	➡ 大切なことは「相手の気持ちに配慮する」ということなので、学習者に三つのなかでどの表現が気持ちよく受け止められたか、ほかによい表現があるかなどを投げかける。 　コミュニケーションのとり方は、学生の接してきた文化によって日本とは異なる場合（たとえば、はっきり伝える文化や婉曲表現が好まれる文化など）があるので、そのようなときは、日本のケースを（それが正しいというのではなく）紹介する。
4. まとめ（5分） ● この活動をとおして、依頼するときのポイントとしてどんなことがあるかをクラス全体で整理する。	➡ 少なくとも確認したい事項は「相手」「場」「内容」で表現形式の選択が変わることと会話の展開である。 　フィラーの使用や非言語コミュニケーションの重要性なども確認したい。ポイントは依頼相手への配慮である。

基本活動の実際

条件を正確にとらえる

× 悪い例	○ よい例
相手：親しい後輩　場：休憩時間　内容：メールの日本語の意味を教えてもらう	
「相手」を親しい先輩と勘違いして依頼文を作った場合 A：すみません。このメールの日本語の意味を教えてもらえませんか。	条件を正確にとらえて依頼文を作った場合 A：ごめん。悪いんだけど、このメールの日本語の意味を教えてくれない？
※条件を正確にとらえていないと、適切な表現形式が使えない。	

くだけた表現と改まった表現の適切性

× 悪い例	○ よい例
相手：日ごろから親しい上司（課長）　場：居酒屋　内容：しょうゆを取ってもらう	
A：課長、申し訳ございませんが、そちらにありますしょうゆを取っていただけませんでしょうか。	A：課長、すみません、そこのしょうゆを取ってもらえませんか。
※上司だからより丁寧にという発想だと「場」や「内容」にふさわしくない依頼文になってしまう。	

依頼相手への配慮

× 悪い例	○ よい例
相手：親しい先生　場：授業直後 内容：課題研究について書いた発表用原稿へのコメントをもらう	
（遠慮した様子もなく会話を進める） A：先生、今よろしいですか。 先生：はい、どうぞ。 A：お忙しいところすみません、課題研究について発表用の原稿を書いてみたので、見ていただきたいのですが。	（遠慮がちに会話を進める） A：あのう、先生、今ちょっとよろしいですか。 先生：はい、どうぞ。 A：お忙しいところ、あのう、すみません……課題研究について発表用の原稿を書いてみたので、見ていただきたいのですが……
※活動の中心は言語表現における配慮であるが、言語表現以外の配慮を欠くと、いくら表現が丁寧でも失礼な印象になってしまう。	

基本活動ワークシート 1

●**相手：**（　）内は自由に選択する

親友	クラスの友達
親しい 目上の人（先生や上司）	あまり親しくない 目上の人（先生や上司）
親しい （仕事先・学校の）先輩	あまり親しくない （仕事先・学校の）先輩
親しい （仕事先・学校の）後輩	あまり親しくない （仕事先・学校の）後輩

●**場：**（　）内は自由に選択する

授業（または終業）直後	学生（または社員）食堂
休憩時間	道で偶然会ったとき
喫茶店	居酒屋

3-4 依頼のテクニック

● **内容**

自分から遠くにあるもの（しょうゆ、本など）を取ってもらいたい。	携帯に知人からメールが来たが、メールの日本語の意味がわからないので、教えてもらいたい。
お財布を忘れてしまい、1000円ほど貸してもらいたい。	これから会議（テスト）があるのに、筆記用具を忘れてしまったので、何か書くものを借りたい。
新しい企画（課題研究）について書いたプレゼン用資料（発表用原稿）にコメントをもらいたい。	せきが1か月止まらず薬を飲んでも効かない。そこで病院に行きたいが、初めて行くので不安なため、一緒に行ってもらいたい。

基本活動ワークシート 2

A　言語表現形式：「くれる」より「もらう」、「～ますか」より「～ませんか」が丁寧

1)「くれる」「もらう」を使った表現　　2) その他
　～てくれない？　　　　　　　　　　　～てほしいんですが……
　～てもらえませんか　　　　　　　　　～ていただきたいんですが……
　～ていただけませんか　　　　　　　　～ていただきたいのですが、よろしいでしょうか

B　会話の展開例：状況によって事情説明を長くしたり、お礼をより丁寧にしたりする

例：先生に質問する

前置き：今、よろしいですか。
話の目的を伝える：ちょっとお願いしたいことがあるんですが……
依頼と事情説明：じつは明日テストがあるのですが、わからないところがあって……、教えていただけませんか／いただけないでしょうか。
終了時のお礼：ありがとうございました。
退席：失礼いたします。

応用活動の手順

進め方	留意点
1. 全体で依頼内容を共有する（2分） ● ワークシート1の依頼内容を読み合わせ、依頼内容を全員で共有する。	➡ 依頼内容の誤った理解は、活動自体に影響するので、きちんと内容を確認する。
2. 相手と場を設定する（5分） 1. 3～4人程度のグループに分け、ワークシート2をグループに1枚ずつ配付する。 2. 依頼内容を承諾してもらえる可能性の高い相手と場をグループ内で話し合って設定し、代表者がワークシート2に記入する。	➡ グループ内で意見がまとまらない場合は、ケースを複数設定してもかまわない。 　教師は巡回して、活動をうながす。
3. 表現形式と会話の展開を考える（15分） ● どのような表現形式で、どのように会話を展開したら、相手に承諾してもらえるか、相手の心理を考え、代表者がワークシート2に記入する。	➡ 学習者が依頼方法を考えるのに苦戦している場合には、ワークシート3を適宜配付して学習者の活動を促進する。 　ワークシートの配付を活動開始時におこなわないのは、できるだけ学習者にアイディアを出しあってもらうためである。
4. グループごとに発表する（4～18分） 1. ワークシート4を1人につき、グループ数−1枚配付する。 2. ワークシート2に記入したことをもとに、各グループごとに代表者が発表する。 3. 聞き手はワークシート4に印象を書く。	➡ 教師はそれぞれのグループの発表後に、聞き手の印象をワークシート4の項目ごとに挙手で確認し、各グループの依頼にたいする印象をまとめる。
5. まとめ（5分） ● 全グループの発表後、依頼を承諾してもらうために、どのようなことがポイントとなるかをクラス全体で整理する。	➡ ワークシート4の項目ごとに確認する。教師は各項目と印象のよかったグループの発表内容を板書し、一般化したまとめも板書して整理する。(「応用活動の実際」参照)

応用活動の実際

教師のさりげない働きかけが大切：グループ活動の最中は、教師は各グループを回りながら活動をうながす。活動に参加していない学習者に問いかけてみたり、いいアイディアが出ず活動が止まっているグループにはヒントを投げかけるなどして活動をうながす。

教師が導きすぎない：教師は学習者の活動をうながすとき、自分が個々の課題を決めてしまうようなことのないように注意する。

× 悪い例	○ よい例
声がけは必要だが、学習者に考えさせるようにする。 例：「場」の設定で止まっている場合	
教師：そうですね、たとえば道で会ったときにお願いされたらどうですか。 A：ちょっと……嫌です。 教師：じゃあ、どんな場所ならお願いに耳を傾けますか。 B：家までわざわざ来たら…… 教師：そうですね。家まで訪ねるのがいいですね。そこまでしてお願いしているというのが伝わりますよね（と決定してしまう）。	教師：そうですね、たとえば道で会ったときにお願いされたらどうですか。 A：ちょっと……嫌です。 教師：じゃあ、どんな場所ならお願いに耳を傾けますか。 B：家までわざわざ来たら…… 教師：ほかの人はどうですか。（などと問いかけながら適当なところでそのグループを去る。）

ワークシート2の方法はあくまで紹介例：ワークシートに書かれている方法がどのケースでも有効というようなマニュアル的な扱いにならないように注意する。

活動のまとめは一般化してまとめる：各項目で挙がったことを確認するにとどまらず、一般化して内容をまとめる。

× 悪い例	○ よい例
例：「相手」をまとめる場合	
教師：そうですね。一番印象がよかったのが「保証人」でしょうか。少ないのは「友達」ですね。やはり年上の人のほうが借りやすいのかな。	教師：そうですね。一番印象がよかったのは「保証人」、つぎは「よくお世話になっている人」「先生」と続きますね。上下関係と親疎関係からみると、「年上」で「親しい」関係が承諾してもらえる可能性が高いかもしれませんね。

応用活動ワークシート 1

状況と依頼内容
（状況） あなたは大学に合格し、入学金と1年分の授業料を支払う必要がある。期日は10日後である。国の両親に100万円送金してもらうことになっていたが、昨日母親から電話があり、父が急に倒れ、手術と入院にかかる費用が高額なため、送金できなくなったと言われた。しかし、どうしても100万円を自分で作れない。 （依頼内容） 100万円貸してほしい。

応用活動ワークシート 2

相手 （誰にお願いするか）	
場 （いつ・どこでお願いするか）	
会話の展開 （どのような流れで話を運ぶか）	
依頼方法、表現形式 （どのようにお願いするか）	

3-4 依頼のテクニック

| 応用活動ワークシート 3 |

効果的な依頼方法・会話の展開

1) さまざまな手段を組み合わせる
   ①理由を述べる　例：<u>重すぎて持てないから、</u>ここにある荷物を一緒に運んでくれる？
   ②お礼に何かを提供する　例：<u>夕飯おごるから、</u>ここにある荷物を一緒に運んでくれる？
   ③相手の情動に訴える　例：<u>Aさんって本当に優しいよね。</u>ここにある荷物を一緒に運んでくれる？

2) 相手に複数回働きかける
①負担の小さい依頼→大きい依頼の順で依頼する
（例）A：ここにある荷物を一緒に運んでくれる？

　　　B：いいですよ。

　　　A：ありがとう。助かったよ。あ、あのさ、さっき忘れていたんだけど、もう一つ運びたい荷物があるんだ。ちょっと重いんだけど、お願いできるかな？

　　　B：いいですよ……

②負担の大きい依頼→小さい依頼の順で依頼する
（例）A：運びたい荷物が地下にあるんだ。かなり重くて10箱あるんだけど、時間ある？

　　　B：すみません、ちょっと10箱運んでいる時間は……

　　　A：じゃ、そこの2箱を1階まで運ぶのはできる？

　　　B：それなら大丈夫ですよ。

| 応用活動ワークシート 4 |

（　　　　　　　）グループの依頼の印象			
相手	よい	まあまあ	よくない
場	よい	まあまあ	よくない
会話の展開	よい	まあまあ	よくない
依頼の方法	よい	まあまあ	よくない
表現形式	よい	まあまあ	よくない

> コラム

待遇コミュニケーション・社会心理学における依頼の影響手段

　この活動には二つの視点を取り入れています。一つは「待遇コミュニケーション」、もう一つは「社会心理学における依頼の影響手段」です。まず前者から紹介します。蒲谷宏ほか（2009：76）では「待遇コミュニケーション」を「コミュニケーションをする主体（話し手・書き手・聞き手・読み手）が、コミュニケーションの場面（人間関係・場）を考えたり、配慮したりして行う、表現と理解のコミュニケーションのこと」ととらえ、「そのコミュニケーションは相互行為（やりとり・インタラクション）であり、言語だけでなく非言語でも行われる」と説明されています。

　この課の活動は、待遇コミュニケーションの五つの要素「人間関係」「場」「意識」「内容」「形式」を利用して、言語形式だけに焦点を当てた依頼の練習ではなく、言語形式を利用した総体的な依頼活動をおこなうものになっています。

　一方、社会心理学では、「社会的影響」と「対人的影響」というとらえ方があります。依頼は個人間でおこなわれるやりとりとして「対人的影響」に分類されます。「対人的影響」とは、「ある個人が他の個人の態度や行動、情動（感情）を変えようと働きかけること」（今井 2006：5）です。そしてこの働きかけを今井（2006：93）では、五つの手段にまとめています。

「単純依頼」（例）ここにある荷物を運んでくれる？
「理由提示」（例）時間に間に合いそうにないから、ここにある荷物を運んでくれる？
「資源提供」（例）あとでお昼をおごるから、ここにある荷物を運んでくれる？
「正当要求」（例）（後輩に対して）ここにある荷物を運んで。
「情動操作」（例）今日の服似合っているね。悪いけど、ちょっとここにある荷物
　　　　　　　　を運んでくれる？

　また、今井（2006）では、依頼の応諾率を上げる効果的な方法に「連続的応諾手段」という手法を挙げています。応用活動のワークシート3の2）①「負担の小さい依頼→大きい依頼の順で依頼する」はフット・イン・ザ・ドア法、②「負担の大きい依頼→小さい依頼の順で依頼する」はドア・イン・ザ・フェイス法と呼ばれます。

　このような手段は、実際の調査に基づいて研究者が分析・整理したもので、現象に隠された私たちの心理を利用して依頼の応諾に結びつける有効な手段と考えられます。

第3部　第5課

説得の技術
聞き手の反論を想定して説得する技術を身につけよう！

概要
常識に真っ向から対立するような内容、あるいは、当たり前で証明不可能に見える内容を聞き手に伝えて説得するトレーニングをおこなう。何らかの意見を主張するときに、自分の意見を押しつけるのではなく、理解してもらえるような伝達の方法を学ぶ。

基本活動：常識に反するような意見を、立場がまったく違う人に伝え、筋をとおして主張し、説得を試みる。

応用活動：当たり前すぎて証明不可能に見える意見を、さまざまな角度から人に伝え、説得を試みる。

目的
聞き手の反論を想定して説得する：意見表明のさい、聞き手の立場になって自己の意見を見つめ、想像力を駆使して、反論を想定した表現の仕方を身につけ、相手を説得する。

基本活動：対立する意見を部分的に認める譲歩の発想を身につける。

応用活動：状況証拠の積み重ねによって相手を説得する技術を身につける。

レベル	基本活動・応用活動：上級前半〜	
時間	基本活動・応用活動：いずれも45分	
人数	基本活動・応用活動：5人〜20人	
準備	基本活動：基本活動ワークシート1、2を人数分 応用活動：応用活動ワークシート1、2を人数分	

基本活動の手順

進め方	留意点
1. 話すまえの準備（10分） 1. 主張するテーマを、学習者と話し合い、板書する。そして、学習者の背景に合わせて教師がテーマを二つか三つに絞る。 2. ワークシート1を配付し、主張と根拠を書く。	➡「みなさんが、やってはいけないことはなんですか。」と質問し、出てきた答えから主張するテーマを決めてもよい。 　主張は、反論がたくさん出るものを設定する。「約束は破ってもよい」「喫煙はしてもよい」「お年寄りに席を譲るべきではない」など。反論を想定しやすい、社会的に支持されていないテーマのほうが、本課の趣旨には合う。(「基本活動の実際」を参照)
2. 話す活動（15分） 1. 別のテーマを選んだ学習者どうしでペア（A、Bとする）になり、Aは自分の主張と根拠を伝える。 2. Bはその主張にたいし反論する。Aはその反論をワークシート1の③に記入する。 3. 役割を交替し、別のテーマについて同様におこなう。 4. それぞれ、相手の反論にたいする反論とまとめをワークシート1に記入する。	➡人数が多い場合は、3〜4人で1グループにし、グループごとに主張と根拠を考え、グループ対グループで活動をおこなう。 　聞き手は反論を少なくとも三つ以上出す。なかなか出ない場合は、教師が反論のポイントを提示する。たとえば、浮気であれば、法的、宗教的、教育的立場からの指摘があることを述べる。 　この課の目的はディベートではないので、反論には反論させず、そういう反論があったというメモにさせるに留める。

進め方	留意点
3. 発表（10分） 1. ワークシート2を配付する。 2. 1人ずつ、ワークシート1の「まとめ」に書いた意見を発表する。ほかの学習者は、発表を聞きながら、ワークシート2の①と②に記入する。 3. 発表を聞いた学習者は感想や反論を述べ、発表者はワークシート2の③に記入する。 4. 2と3を発表ごとにおこなう。	
4. まとめ（10分） 1. フィードバックをおこなう。 2. 効果的な説得の仕方や、説得に使える文型や表現をまとめる。	➡ あることを主張したときに、どのような角度からの反論があるかを議論し、常識の持つ強さと意外な弱点を考える。(「基本活動の実際」を参照) ➡ 文型や表現は板書して示すとよい。

基本活動の実際

- 自分が思っていないこと、あるいは自分が賛成できないことは主張できない、という学習者がいるかもしれないが、この課の目的は自分の思想・理念の正しさを正直に言うことではなく、あくまで「反論を想定した主張」をするためのゲームであることを前置きしておくとよい。
- 主張するテーマは、学習者一人ひとりの文化的背景を考慮して決める必要がある。たとえば、「浮気はしてもよい」という主張は、浮気を話題にすること自体に強い嫌悪感を覚える学習者がいる状況（イスラム圏）などでは避けたほうがよい。
- ただやみくもにあることを主張するのではなく、どういう根拠でそのことを主張するのか、筋を通した主張にする。これがないと、ただ反論するだけになってしまう。
- 「〜はしてもよい」という主張のニュアンスからわかるとおり、基本的な主張は「肯定的」であって、「礼賛的」であってはならない。「浮気すべきだ」「喫煙すべきだ」というニュアンスで主張をすると、反論の余地が多くなるうえ、主張として苦しくなってしまう。

- クラスのレベルに合わせ、手順1、2のさいに、下のようなワークシート記入例を配付し、学習者の手本として示してもよい。

例：「浮気はしてもよい」ということを主張する場合（「基本活動ワークシート1」参照）

①**主張**：浮気はしてもよい

②**なぜそう思うか（根拠）**：二人のきずなを確かめあう機会にもなりうるから。

③**反論1**：法律や道徳に反する行為である。
　反論2：パートナーが悲しむ。
　反論3：子どもの教育に悪い。

④**反論1にたいする反論**：結婚していない者どうしの場合は不法行為にならない。道徳よりも幸せを優先するのが人間の本性である。
　反論2にたいする反論：パートナーを一時的に悲しませても、結果的に二人のきずなが確かめられ、深まればよい。
　反論3にたいする反論：子どもがいなければ問題にならない。

⑤**まとめ**：
　浮気はしてもよいと思う。なぜなら、それが二人のきずなを確かめあう機会にもなりうるからである。
　もちろん、この「浮気」という行為が、法的にも道徳的にも、場合によっては宗教的にも反する行為であることは知っている。しかし、結婚していない者どうしの場合は不法行為にならないし、道徳よりも幸せが優先されるのではないだろうか。また、時としてウソが人と人との関係を円滑にするように、「浮気」という出来事をとおして、二人の関係を見つめなおすことができるのではないだろうか。
　それでも、二人の子どもの教育によくない、という意見もあるだろう。したがって、この「浮気はしてもよい」というのは、結婚前の恋人どうしのとき、子どもがいない場合に限った話であることに触れておきたい。
　これから結婚するパートナーが、果たしてベストな相手かどうか、それはほかとの比較のうえで初めてわかることであり、1人のデータしか知らずに、それがベストだとなぜ言えるだろうか。

※波線は、譲歩の文型

「浮気はしてもよい」ということを主張する場合、前ページに示したような例にしたがって、譲歩の文型を使いながら、「浮気をするべきではない」と考えている人にたいして主張することが望ましい。

下のように、個人的な思い込みで主張したり、浮気をする側の意見を代表するような立場で反論を試みたり、論点をずらしたりしても、議論にならないことに注意されたい。

悪い例：
- 浮気はしてもよい（主張）。なぜなら、浮気できるならしたいというのが私の本音だからだ（個人的思い込み）。したくないという人はしなくてもいいと思う。でも、魅力的な異性を見たら、自分を抑えられないのは仕方のないことだ。
- 浮気はしてもよい（主張）。なぜなら、人類誕生以来、浮気がまったくなかった時代はない。自分のことを気に入ってくれている異性がいるなら、たとえ自分に付き合っている人や配偶者がいようとも、幸せにしてあげるのが義務だと、浮気する人たちは考えている（浮気をする側の主張に終始）。
- 浮気はしてもよい。なぜならチャンスがあるなら、実行しないといけない。あなたはチャンスをものにしない人間ですか。チャンスを目のまえにして見過ごすことなど、普通の人間にはなかなかできません（論点のすり替え）。

※活動のさいの注意

この基本活動は、反社会的な考え方を養成するものではなく、むしろ、反社会的な考え方をとおして、社会的な考え方の持っている強固な妥当性を確認するものである。

「人を殺してはいけない」ことは誰もが知っている。しかし、「なぜ人を殺してはいけないか」その理由を考えて初めて、人間が、自分と対立する人間を抹消したいと願う存在であり、そこから戦争やテロといった悲惨な現実がいまだ消えないことが見えてくる。その意味で、教師は、学習者に健全な社会性を育成することを念頭に授業に臨む必要があるし、社会的に支持されない考え方にあえて踏みこんで取りあげる勇気も求められる。

しかし同時に、教室がパブリックな場である以上、一部の学習者が、ある話題を教室活動という感覚でとらえられず、自己のアイデンティティと結びつけて強い嫌悪感を催すおそれが少しでも想定される場合は、その話題を活動から外す勇気も、教師には求められる。

基本活動ワークシート１

記入の手順
①主張することを記入する。
②なぜそう思うか、その根拠を書く。
③主張にたいして出てきた反論を書く。
④その反論にたいする反論、あるいは、その反論を回避するための反論を書く。
⑤まとめとして、最後に、「もちろん……しかし、……」、「一般的には、……だが、私は……と思う」のような、譲歩の文型を用いて、主張を再構成する。

＜本論＞

①主張すること：

②根拠：

③反論１：

　反論２：

　反論３：

④反論１にたいする反論：

　反論２にたいする反論：

　反論３にたいする反論：

⑤まとめ：

基本活動ワークシート 2

①発表者の話を聞いて、反論があれば反論を書いてください。
②発表のよかった点、うまく使っていた文型があれば書いてください。
③自分の発表に、どのような反論があったか、書いてください。

①反論

　発表者＜　　　　＞さん

　反論：

　発表者＜　　　　＞さん

　反論：

　発表者＜　　　　＞さん

　反論：

②誰の発表の、どういう点がよかったか、また、どういう文型が参考になったか

　発表者＜　　　　＞さん

　参考になった点：

　発表者＜　　　　＞さん

　参考になった点：

　発表者＜　　　　＞さん

　参考になった点：

③自分の発表にあった反論

　反論1：

　反論2：

応用活動の手順

基本活動の手順を参照。

応用活動の実際

基本活動と異なる点
- 応用活動では、ある主張について、さまざまな角度からの状況証拠を積み重ねることによって、その妥当性を述べ、相手を説得するという活動をおこなう。
- 基本活動では相手の反論にたいする反論をおこなうが、応用活動では相手の反論にたいして反論はしない。
- 一つ一つには反論が成り立つことも、積み重ねていくとなかなか反論できなくなる、ということを示すのがこの応用活動のねらいである。基本活動で学習した譲歩の文型も使用しつつ、順序よく(「まず」「つぎに」などを使用して)証拠を挙げていき、一つずつ反論をかわしていく論を展開できるようにする。
- 主張するテーマについて、基本活動と異なる点は、当たり前すぎて証明不可能に見えるものであるという点である。主張するテーマは、決定的な証拠のないものが望ましい。
「自分が親の子であることを主張する(証明する)」
「自分が地球人であることを証明する(主張する)」
「メガネをかけている人は目が悪いことを主張する(証明する)」
「人間は眠らないと生きていけないことを証明する(主張する)」
「私と○○さんは友達であることを主張する(証明する)」

板書について
- 教師の板書では、どういう視点からの自説の展開があったかに注目させる。たとえば、「自分で主張しているだけではなく、人から言われる客観的な意見を盛りこむ」「両親と自分との共通点だけでなく、兄弟との共通点を挙げることによって説を補強する(次ページの例参照)」など。
- どういう視点からの反論、どういう論拠への反論だったかも板書しておくと、結果的に「このような視点からの主張が必要」「この論拠の補強が必要」ということが、総合的にとらえやすくなる。

例:「自分は両親の子である」ということを主張する場合（「応用活動ワークシート1」参照）

主張すること：自分は両親の子である。
　根拠は五つくらい挙げることが望ましい。
根拠1：目元が父親と似ている。知らない人からもそっくりだと言われる。
　反論1：父親の目元に似ている男性はたくさんいる。
根拠2：いびきをかくのも父親と同じだそうだ。
　反論2：いびきなどは、生まれてからの後天的なものなので、証拠にはならない。
根拠3：母親の短気で忘れっぽい性格と似ている。
　反論3：性格は後天的に近くにいる人に似る。短気で忘れっぽい人はたくさんいる。
根拠4：母親と同じ、鼻の横に似たようなほくろがある。
　反論4：母親と血はつながっていても、父親が別の人かもしれない可能性がある。
根拠5：髪の毛の癖が兄と似ている。その癖毛は父とも似ている。
　反論5：母親が違うのかもしれない。
まとめ：
　私は、両親の子です。まずはじめに、目元が父親と似ています。目元の似ている人なんてほかにもいると思われるかもしれませんが、私と父の目はつりあがり方が特徴的で、私と父の関係を知らない人が見てもそっくりだと言われるほど、似ているのです。これは、遺伝的なものだと思います。また、私はいびきをかくのですが、父もいびきをかきます。いびきをかきやすい体質は遺伝すると言われていますから、これもまた、遺伝したものと考えられます。
　しかし、これだけだと、それは父の子である可能性だけで、母親は別の人間なのではないか、と思われる方もいると思います。
　つぎに、母との共通点を挙げます。まず、性格ですが、短気で忘れっぽいところが母と似ています。すぐに怒るという非常に迷惑な性格は、母親譲りだと思います。つぎに、身体的な特徴ですが、母と同じ、鼻の横に本当にそっくりなホクロがあります。たしかに、同じところにホクロがある女性はたくさんいますが、これだけ性格が似ている人で、同じところにホクロがある女性はなかなかいないと思います。
　最後に、父と私、母と私の共通点を挙げてきましたが、兄弟、「兄」との共通点も挙げておきたいと思います。兄と私は、髪の毛の癖が同じです。あまり長くなると、毛先が丸くなり、これはドライヤーで直してもすぐに出てしまいます。そして、この癖毛は、父とも同じです。
　これは、たしかに私が兄と、そして父と血がつながっている証拠だと思います。
　以上の根拠で、私は両親の子であることを主張します。

応用活動ワークシート1

記入の手順
①主張することを記入する。
②主張を支える根拠、状況証拠をなるべくたくさん出す。できれは五つ以上あることが望ましい。
③根拠にたいして出てきた反論を書く。
④まとめとして、譲歩の文型や、順序を表す「まず……、つぎに……、最後に……」などの表現を用いて、主張を再構成する。

＜本論＞
①主張すること：

②根拠1：

　　③反論1：

　根拠2：

　　　反論2：

　根拠3：

　　　反論3：

　根拠4：

　　　反論4：

　根拠5：

　　　反論5：

④まとめ：

応用活動ワークシート 2

①ほかの人の発表で気づかされた視点

-
-
-

②ほかの人の発表にたいする反論、疑問

- ＜　　　　　　＞さんの、「　　　　　　　　　　　　　　」
  という意見にたいして、
  「　　　　　　　　　　　　　　　　　　　　　」と思った。

- ＜　　　　　　＞さんの、「　　　　　　　　　　　　　　」
  という意見にたいして、
  「　　　　　　　　　　　　　　　　　　　　　」と思った。

③自分の発表に寄せられた反論

反論1：

反論2：

> **コラム**

説得の技術

　説得が必要になるのは、書き手の主張に何らかの判断を含む場合です。判断をしなければならないということは、事実ではないということを示しているので、立場が違えば判断が異なってくる可能性があります。そこで、自らの判断を補強し、違う立場の人を説得するという動機が生まれます。

　判断を補強するには根拠が必要です。根拠は判断の基盤となるものなので、動かしがたい事実であることが理想です。この根拠がしっかりしていれば、判断もまたしっかりしたものになります。

　根拠をしっかりさせるためには、異なる立場から反論を試みてみるとよいでしょう。さまざまな反論に対処できるようにきたえることによって、根拠は根拠としての力を持つようになります。学会でも、研究会でも、大学院の演習（ゼミ）でも、発表と質疑応答という相互活動のなかでおこなわれていることは、判断を支える根拠を吟味するという作業です。多様な背景の人が集う場で、批判的吟味を耐え抜いた根拠は強い力を備えたものとなるでしょう。

　一方、どんなに慎重に吟味しても、完全な根拠というものを立てることは難しいでしょう。そこで、複数、それもできるだけ多くの根拠を示すことによって主張を支えるということがしばしばおこなわれます。根拠を多数示すためには、物事を多面的に見る発想の柔軟性が求められます。

　この課の基本活動では、常識に反する主張をおこない、応用活動では、一見当たり前に見えることを主張するという活動をおこないました。これは、ひとえに説得力をきたえるためです。一般的な作文の授業では、当たり障りのない主張を説得の材料に使うことが多いようです。これは一見よいことのようですが、内容がもっともらしければ、論理的な力がなくても説得できてしまうため、説得する力はさほど身につきません。

　一方、この課の活動では、内容では説得しにくいことを説得してもらうこと目指しています。内容で説得しにくい以上、構造で説得することに目が向きますし、また、発想力そのものもきたえなければなりません。その意味で、説得の作業自体はかなり骨が折れますが、説得力向上のよい練習になると思われます。

　正しいと思われていることや、間違いだと思われていることを、状況証拠の積み重ねでその妥当性を問い直す、という作業をとおして、先入観を捨てて物事の本質を見抜く、という学術的な論理の手続きを実感してもらうことこそ、この課の真のねらいです。

第4部　第1課

私ならあなたなら

聞き手の立場を考えて、自分の気持ちを伝えよう！

概要
聞き手の立場に立つとは：話し手が話し手自身の立場に固執して話をすると、聞き手の感情を害しやすい。話し手が聞き手の立場に身を置いて、聞き手なら自分の言葉をどう感じるかをモニターできれば、聞き手が素直に受け止められる言葉が選べるようになる。

基本活動（注意する）：禁煙場所でタバコを吸っている人を注意する適切な言葉を考え、実際に注意する活動をおこなう。

応用活動（悩みを聞きだす）：言いにくい悩みを抱えている友人の悩みを聞きだし、相談に乗る活動をおこなう。

目的
聞き手の感情に配慮できるようになる：聞き手の立場に立つ活動をすることをとおして、聞き手の感情に配慮し、コミュニケーション上の無用のトラブルを回避できるようになる。

自分らしいコミュニケーションができるようになる：聞き手の感情に配慮しつつも、自分の言いたいことはきちんと伝えたり、反対に、自分らしく言うことを控えたりできるようになる。

レベル　　基本活動：中級前半〜　　応用活動：中級後半〜

時間　　　基本活動・応用活動：いずれも45分

人数　　　基本活動：2人以上
　　　　　　　応用活動：3人以上（3〜4人のグループ×グループ数）

準備　　　基本活動：基本活動ワークシートを人数分
　　　　　　　応用活動：応用活動ワークシート1、2を人数分

基本活動の手順

事前準備：禁煙場所でタバコを吸っている人を見かけたらどう対処するかをあらかじめ考えてきてもらう。

進め方	留意点
1. 活動の説明（5分） ● 教師が、ワークシートを配付し、活動内容の簡単な説明もおこなう。	➡ 言葉で直接伝えるものだけでなく、黙ってタバコを取りあげる、係の人に言う、自分の席を移動する、無視するなど、さまざまな可能性があることも伝える。
2. 注意する言葉を考える（5分） ● 相手にどう注意するか、その言葉を考える。言葉を直接伝えない人は、反対に、自分が言葉で注意されたらどう対応するか、その対応を考える。	➡ 最初の一言だけでなく、相手の反応に応じて、そのあとをどうつなぐか、話の流れを考えさせるようにする。
3. 注意する（15分） ● 1人1回は注意する役とタバコを吸う役をやってもらう。残った人は、たがいのやりとりの様子や印象をメモする。	➡ 人数が10人を超える場合は複数のグループに分ける。 　タバコを吸う役の人は、自分の思ったとおりに反応してもよい。謝ったり、無視したりするだけでなく、すごむなど、攻撃的な態度をとることもあるかもしれない。
4. フィードバック（20分） ● 注意する側、注意される側、それぞれの印象について、各自発表してもらう。	➡ 注意する側、される側の性別、年齢、顔の表情や声の調子などによって与える印象が変わってくる。言語的な部分はもとより、非言語的な部分にまで着目させたい。

基本活動の実際

学習者の主体性を尊重：
文型活動が中心になると、学習者は、自分たちがまず使わない文型を、練習ということで仕方なく口にさせられているおそれもある。しかし、この活動は、学習者の自分らしさを育むことが目的なので、言う、言わないも含めて、ふだんどおりの行動をとることをうながしたい。

フィードバックの重要性：
この活動では、注意するという活動そのものより、そのあとのフィードバックに主眼がある。自分のコミュニケーション行動が周囲にどう映るのか、クラスメイトの忌憚のない意見をとおして客観的に認識し、その改善を図ることを目指している。そのため、注意する様子をビデオに録画し、その後それを見ながら検討する方法も、可能であれば採りいれたい。

多様性の尊重：
フィードバックでは、個人批判にならないように気をつける。むしろ、学習者が自分のコミュニケーション・スタイルを貫くのか、それとも、日本で受けいれられそうな方法を選ぶのか、自分の言語行動を確認したり、クラスメイトの相互のやりとりから、見ている者も何か新たな発想や表現を学べるような、選択肢を広げる機会にしたい。

社会・文化的な視点：
学習者のそれぞれの社会・文化的な背景によって、おのずと望ましいコミュニケーション行動も変わってくる。また、相手が日本人だと考えた場合、日本人の特性・ステレオタイプなどについての議論にもつながる。そうした社会・文化的な文脈に目を向けさせるきっかけとしたい。

基本活動ワークシート

あなたは今、禁煙室にいます。壁にも大きく「タバコ禁止」と書いてありますが、隣に座っている人がタバコを吸い始めました。あなたはどうしますか。

自分が相手に注意した／注意されたときの内容をメモしてください。

注意する側		注意される側	
私		さん	
さん		私	

クラスメイトのやりとりの様子をメモしてください。

注意する側		注意される側	
さん		さん	
さん		さん	
さん		さん	
さん		さん	
さん		さん	

4-1 私ならあなたなら

応用活動の手順

事前準備：架空の、あるいはかつて抱えていた、人に言いにくい悩みの内容をあらかじめ整理してきてもらう。

進め方	留意点
1. 活動の説明（5分） • 3〜4人のグループ分けをする。教師は、ワークシートを配付し、活動内容の簡単な説明もおこなう。	➡ 出身地域や背景などは、できるだけ異なる者どうしを同じグループにすることを心がける。
2. 言葉を考える（5分） • 悩みを引きだす側の引きだし方、悩みを打ち明ける側の悩みの内容を考える。	➡ 打ち明ける側の悩みは、ワークシート1から架空のものを選ぶ。ワークシート1にないものを自分で考えてもよい。自分で考えたものの場合、かつて経験した過去の悩みが望ましい。もし現在進行中の内容が出てきた場合は、フィードバック時に教師が慎重に取り扱う。
3. 悩みを引きだす（15分） • 1人1回ずつ悩みの引きだし役と悩みの打ち明け役をする。残った人は、たがいのやりとりの様子や印象をメモする。	➡ 架空のものでも、過去のものでも、悩みごとは学習者のアイデンティティと深くかかわる。見ている人のコメントが、配慮されたものかどうか、さりげなく確認する。
4. フィードバック（20分） • 悩みを引きだす側、悩みを打ち明ける側、それぞれの印象について、各自発表してもらう。	➡ 言語的な部分はもとより、声の調子やイントネーションなどの韻律的な部分、視線やしぐさなど、非言語的な部分にまで着目させたい。

応用活動の実際

悩みの引きだし方：悩みを引きだす側は、悩みを抱えている側の心情に思いを馳せ、できるだけ自然で無理のない形で話を引きだすようにする。

コメントの仕方：悩みを抱えている側の話を聞くことがまず何よりも大切。また、具体的なアドバイスを求めている、さらには聞き手に何かしてほしいと思っている場合もある一方、単に話を聞いてほしいだけのこともある。悩みを引きだす側は、どこまで相談に乗るべきか、悩みを抱えている側の様子を観察することが重要になる。

× 悪い例	○ よい例
A：暗い顔してるね。悩みでもあるの？ B：……。	A：最近どう？ B：うん、まあまあだよ。 A：でも、ちょっと元気がないようにも見えるけど。 B：うん、じつはちょっとね。
※悩みがあって元気がないという前提でいきなり会話を始めないほうが、聞き手も自分から話しやすくなる。	
A：悩みがあるんでしょ。遠慮なく話してよ。	A：無理に話すこともないけど、もし私でよかったら話を聞くことぐらいはできるよ。
※文化によっても異なるだろうが、「さあ、悩みを話しましょう」と言われても、なかなか話せるものではない。雰囲気作りが重要。	
B：バイト先で店長に叱られちゃってね。 A：なんだ、たいしたことないじゃん。私なんてね、(以下略)。	B：バイト先で店長に叱られちゃってね。 A：そうだったの。それはつらかったね。でもなんで叱られたの？
※悩みを抱えている側は、自分の悩みを深刻に受け止めているので、聞く側もその話を真剣に聞く必要がある。	
B：父に国に帰れって言われてさ。 A：そんなの、無視すればいいじゃん。私がお父さんに言ってあげようか。	B：父に国に帰れって言われてさ。 A：そうか。それはなかなか難しい問題だね。あなたはどう思っているの？
※できることをしてあげることは大切だが、あくまでも悩みを抱えている側の要請があってから。まず、相手の考えを聞くようにしたい。	

応用活動ワークシート1

悩んでいます（自分で悩みを考えてもかまいません）

日本人の友達ができない	日本に来たら、日本人の友達がたくさんできるかと思ったが、なかなか知り合うきっかけがない。たまに知り合えて、遊びに誘っても用事があるからと断られてしまう。携帯のメールアドレスを交換して、メールを送っても返事が来ないことが多い。どうすれば、日本人と友達になれるのか、その方法が知りたい。
アパートの隣の部屋がうるさい	アパートの隣の部屋が週末になるとうるさくて眠れず困っている。金曜・土曜になると、隣の部屋に友人らしき人が続々とやってきて、夜遅くまで騒いでいる。住人は身体の大きい若い男性で、自分で直接言って怖い目に遭うのも嫌なので、注意できずにいる。
朝起きられない	アルバイトをして帰ってくる時間が遅く、そのあと宿題をやってから寝るため、朝なかなか起きられない。授業に遅刻することも多くなってしまい、先生にひどく怒られてしまった。どうすれば、朝すっきり起きられるようになるだろうか。
アルバイト先の人間関係がうまくいかない	私のアルバイト先はコンビニである。店長もやさしく、顔なじみのお客さんもできて楽しく働いている。しかし、ある年配の女性のアルバイターが、私が楽しそうに仕事をしているのをねたんでか、仕事のじゃまをしたり、私の悪口を別のアルバイターに言いふらしたりしている。どうしたら彼女の嫌がらせを止められるだろうか。
やせられない	やせるためには運動することとカロリーを減らすことが必要だということはわかっている。しかし、毎日が忙しく、うちに帰ってくると疲れて運動する気になれないし、ストレスが溜まるとどんどん食べて太ってしまう。どうしたらやせられるのだろうか。
日本語がうまくならない	毎日教室で日本語を勉強しているのに、いざ日本人に日本語で話そうとすると日本語が出てこない。教室で先生や友達が話していることはわかっても、日本人の話す日本語はなかなか聞き取れない。どうすれば、日本語の運用力が身につくのだろうか。

応用活動ワークシート 2

自分が相談する／される様子を思いだして、メモしてください。

	悩みを引きだす側		悩みを抱えている側
私		さん	
さん		私	

クラスメイトのやりとりの様子をメモしてください。

	悩みを引きだす側		悩みを抱えている側
さん		さん	
さん		さん	

コラム

アサーティブネス

　アサーティブネス（assertiveness）というのは、毅然とした自己表明の能力を指す言葉です。

　受身的な人というのは、周囲の人への働きかけに消極的である一方、個々人の一線を越える干渉をやすやすと許してしまう傾向があります。それにたいして、攻撃的な人というのは、周囲の人への働きかけに積極的ではありますが、個々人の一線を越えた干渉をし、人を傷つける傾向があります。つまり、受身的な人は人の支配に置かれる傾向があり、攻撃的な人は人を支配下に置く傾向があり、いずれも従属的な人間関係しか構成できなくなっているわけです。

　アサーティブな人はそうではありません。周囲の人への働きかけに積極的ではありますが、同時に個々人の一線を越えることはしません。その一方で、相手の気持ちに配慮しつつ、自己表明を明確にしますので、人の支配に屈することもないのです。つまり、アサーティブな人は、周囲の人と対等で良好な人間関係を構築することができるのです。アサーティブな人は怒りなどの感情をコントロールすることに長け、自己評価（self-esteem）も高いのが特徴です。

　そのため、アサーティブな人を目指す、さまざまなトレーニングが開発されています。

　この課の活動も、アサーティブな自分になるためのトレーニングを目指したものです。喫煙を注意するトレーニングでは、喫煙者の感情に配慮しつつも、言うべきことは明確に伝えるという姿勢を大切にしています。また、相談に乗るトレーニングも、悩みを抱えている人の一線を越えないようにしながらも、暖かい手を差しのべる方策を考えるものです。

　もちろん、すべての人がアサーティブでなければならないことはありません。周囲の人へのかかわり方には濃淡があってよいと思いますし、日本語教育の教室でそうした価値観を押しつけることは避けるべきだとも思います。それもまた、アサーティブネスの一つの姿です。

　ただ、周囲の人に暖かい目を持ちつつも、過干渉にならないようなコミュニケーションのあり方自体は重要なことですので、聞き手や観察者のフィードバックをとおして、話し手自身に意識させる必要性はあると思われます。

第4部 第2課

あなたも私も幸せに

聞き手の反応から、自分の言動がどんな印象を与えているかを知ろう！

概要

インプロ手法を用いた活動：セリフや打ち合わせがなく、演じ手の応答次第でシナリオが進むインプロ手法を用いたロールプレイをおこない、自分の言動が、相手によって、あるいは状況によって、受けとられ方が違うことを知り、柔軟な対応ができるようになるきっかけとする。

基本活動（相手を知る）：役を決め、ある役がほかの役をできるだけ喜ばせる提案をするというゲームをおこなう。提案する側は、相手の反応から性格や好みを読みとり、それに合うような提案をつぎつぎにしていく。

応用活動（自分の言動を知る活動）：ロールプレイの演じ手は、指定された目標のタスクを達成するよう演じ、観察者はそれを見ながら、タスク達成に足りないものをアドバイスする。自分の言動が、人にどう受け止められるかを知るロールプレイである。

目的

相手の気持ちを察して柔軟に対応できるようになる：自分の提案にたいする相手の反応から、相手の好みや気持ちを感じとり、相手の希望に沿った対応ができるようになる。

自分の言動をモニターする：演じ手にたいし観察者が適切に演じているかどうかをアドバイスすることで、双方が自分の言動を振り返り、多様なとらえ方があることを知る。

レベル　基本活動：中級前半〜　　応用活動：中級後半〜

時間　基本活動・応用活動：いずれも45分

人数　基本活動：4人以上（4〜5人のグループ×グループ数）
　　　　応用活動：5人以上

準備　基本活動：基本活動ワークシート1をグループ数分

※本課の執筆にあたっては、一橋大学2006年度夏学期教養ゼミ「コミュニケーションと表現」（高尾隆教員担当）を参考にした。

基本活動の手順

進め方	留意点
1. ゲーム1の説明（5分） 1. ゲームの進め方を説明する。 ①グループの中で1人、姫／王子役を決め、残りは家来役になる。 ②家来は、1人ずつ順に、姫／王子が喜びそうな提案をしていく。 ③姫／王子は、ワークシートに書かれたキャラクターにふさわしく演じ、家来の提案が気に入ったら、「よろしくてよ／大変よろしい」と言ってほほ笑み、気に入らなかったら手をたたき、つぎの家来を呼ぶ。 2. 学習者数名と例をやってみる。	➡ 家来役にたいしては、姫／王子の反応をもとに、どのような性格でどのような好みなのかを考えていくよう指示する。 ➡ 姫や王子の言葉づかいは、日常の生活では使用するものではなく、キャラクターを楽しく演じるための役割語であることに注意させる。
2. ゲーム1（5分） 1. クラスを4〜5人のグループに分け、そのうち1人を姫／王子役に、残りを家来役にする。 2. 姫／王子役にワークシートを渡し、活動をおこなう。	➡ 役割は、グループで話し合って決めてもらう。 ➡ ロールカードは、ワークシート以外の例を考えてもよい。 　あらかじめ制限時間を決めておいたほうが、提案がつぎつぎに出やすい。
3. グループでの話し合い（10分） 1. 家来役は、ゲームで自分のグループの姫／王子役はどんなキャラクターを演じていたと思うか、どうしてそう思ったかについて話す。 2. 意見が出そろったら、姫／王子役は自分のカードの内容を知らせる。	➡ できればグループだけでなく、クラス全体で共有するとよい。

進め方	留意点
3. 姫／王子の役柄の設定と、実際の応答が合っていたかどうかを全員で検討する。	➡ 人によって役柄の解釈と予想される言動に差があることに気づかせる。 　言い方や動作など非言語行動と役柄が合っていたかどうかについても検討する。
4. ゲーム2の説明（5分） 1. ゲームの進め方を説明する。 ①姫／王子は自分の希望を一言言う。 ②家来は、ゲーム1で知った姫／王子の性格を考慮し、希望に沿うような提案をする。 ③姫／王子はそれぞれの提案にたいし、一言コメントする。家来は、その反応をもとに、より気に入られる提案をしていく。 ④姫／王子は、家来全員の提案のなかから、最も気に入ったものを選び、ポイントを与える。 ⑤やりとりを繰り返して、最もポイントの高い家来を決定する。 2. 学習者数名と例をやってみる。	➡ 相手の大まかな性格がわかったうえで、より細かい提案をしていき、相手の性格や好みをより詳細に把握していく活動である。 ➡ 姫／王子役には、役柄にふさわしい言い方（言いよどみ、表情など）をするよう留意させる。
5. ゲーム2（10分） • ゲーム1と同じグループでおこなう。	➡ 制限時間はクラスの様子を見て決める。各グループで違うテーマでおこなっているので、教師は巡回し、適宜必要な語彙や表現を導入する。
6. まとめ（10分） 1. グループ内で、各家来が、姫／王子のどのような反応をもとにどのように性格や好みを判断したか、姫／家来はどのようなキャラクターを演じたかを共有する。	➡ 家来役によって、姫／王子のキャラクターの解釈や姫／王子の反応の受け止め方にずれが生じる場合もある。人によってさまざまな受け止め方があることに気づかせる。

進め方	留意点
2. クラス全体で、各グループの姫／王子のキャラクターと、家来が出した提案の内容を共有する。	➡ ゲームでのやりとりをクラスで共有することで、語彙や表現を広げる。
3. 自分ならどんな提案をするか考えてみる。	➡ 自分の発想にはない提案を知り、アイディアを広げるきっかけとしたい。

基本活動の実際

ゲーム1

例1　ロマンチックな王子

家来1：王子、お月見はいかがですか。　　　　　王子：大変よろしい。
家来2：王子、インスタントラーメンを食べませんか。　王子：（手をたたく）
家来3：王子、ホラー映画を見ませんか。　　　　王子：（手をたたく）

例2　活発で冒険好きな姫

家来1：姫、DVDを見ませんか。　　姫：（手をたたく）
家来2：姫、ケーキを食べませんか。　姫：（手をたたく）
家来3：姫、散歩へ行きませんか。　　姫：よろしくてよ。

ゲーム2
例1　ロマンチックな王子

　王子：のどがかわいた。何か飲みたいなあ。
家来1：王子、いちごジュースはいかがですか。
　王子：いちごジュースかあ。
家来2：普通すぎますよね。モーツァルトの音楽を聞いて育った果物のジュースはいかがですか。
　王子：それはロマンチックだ。でもジュースはちょっと……。
家来3：アルコールがいいですよね。冷たいビールはいかがですか。
　王子：冷たいビール？　全然ロマンチックじゃないなあ。
家来1：王子、北極の氷を使ったオンザロックはいかがですか。
　王子：大変よろしい。
※家来1が、1ポイントを得る。

例2　活発で冒険好きな姫

　姫：お腹がすいたわ。
家来1：姫、川で魚を釣って、バーベキューはいかがですか。
　姫：楽しそう！　つぎは？
家来2：姫、ジャングルでバナナを探すのはいかがですか。
　姫：それもいい！　つぎは？
家来3：姫、富士山のうえでおにぎりはいかがですか。
　姫：みんないいけど、2番がよろしくてよ。
※はじめからよい提案が出ていても、家来全員が言うまで決定は待つ。

基本活動ワークシート

あなたは、ロマンチックなことが大好きで、乙女心（おとめごころ）いっぱいです。

あなたは活発（かっぱつ）な性格（せいかく）で、ドキドキする冒険（ぼうけん）やスリルが大好きです。

あなたは、ファッションやおしゃれなことが好きで、流行（りゅうこう）に敏感（びんかん）です。

あなたは、にぎやかに過（す）ごすのが好きで、とても派手（はで）好（ず）きです。

あなたは、古風で伝統的（でんとうてき）なことが好きで、とてもおしとやかです。

あなたは、神秘的（しんぴてき）なことが好きで、とてもミステリアスです。

あなたは、エキサイティングなことが好きで、とても情熱的（じょうねつてき）な性格（せいかく）です。

応用活動の手順

進め方	留意点
1. ロールプレイの説明（5分） 1. ロールプレイの進め方を説明する。 ①ロールプレイの演じ手と観察者を決める。 ②演じ手は、与えられたタスクを達成できるように演じる。 ③観察者は、演じ手の言動がタスクの目標と合っていない、もしくは、相手を不快にさせたと感じた場合、すぐに「ピピー」と言って、どこがよくないかを口頭で伝える。（「応用活動の実際」の「2.進め方の例」参照） ④演じ手は、そのコメントをもとに演技を修正して進める。 2. 例を見せる。	➡ 活動例は「応用活動の実際1」を参照。 ➡ 少し大げさに表情を作り、感情を表すように言う。 ➡「ピピー」と言ってロールプレイを中断する方法に学習者が不快感を感じるおそれがある場合は、その場で注意するのではなく、メモをとっておき、あとでそれを渡すという方法も考えられる。 ➡ この活動はコメントをされることに意義があるので、落ちこまないよう伝える。
2. 役割決め（5分） 1. ロールプレイの演じ手を2〜3人、観察者を3人決める。 2. 役柄の設定と、タスクの目標の指示を出す。	➡ 演じ手には人前で演じることや人からコメントされることに抵抗を感じない学習者を選ぶとよい。人数は内容と役柄に合わせて調整する。クラスの人数が多い場合は、4〜6人程度のグループに分けておこなうこともできる。 ➡ 役柄について、そのようなタイプの人ならどう行動するかを話し合い、動機づけがおこなえると、つぎのロールプレイにつなげやすい。
3. ロールプレイ1（10分） ・演じ手は教室のまえに出てロールプレイをおこなう。	➡ 録画しておくと、振り返りのさいに思いだしやすい。

進め方	留意点
4. 振り返り（10分） • ロールプレイ1を振り返り、演じ手と観察者がそれぞれの感想を話す。	➡ 演じ手と観察者の感じたことが同じだったか、相手の感情を知るためには、どんなところに気づくとよいか、などに注目させる。
5. ロールプレイ2（10分） • 役柄の性格の設定のみを変え、もう一度ロールプレイをおこなう。クラスの残りの学習者は、最初のロールプレイとの違いをよく見ておく。	➡ ロールプレイ1と2で役柄を変えることで、「相手に合わせて対応や表現を変える」ことを意識させる。演じ手は同じでも変えてもよい。
6. まとめ（5分） • クラス全体で活動を振り返る。	➡ ロールプレイ1と2の違いや、活動で気づいたことなどについて話す。表情や動作、視線などの非言語コミュニケーションの大切さについても触れるとよい。

応用活動の実際

1. 活動例

	タスクの目標	役柄の例	ポイント
例1	デートで恋人に楽しい時間を過ごしてもらう	・デートが初めての真面目な大学生（男性）と遊び慣れた女子大生 ・85歳のおじいさんと80歳のおばあさん	・恋愛に関するテーマなので、年齢や育った環境などによって好き嫌いが分かれるだろう。しかし若い学習者の場合、抵抗なく受け入れられ、活動が盛りあがるケースが多い。 ・活動の好きなクラス、積極的に発表する学習者が多いクラスに適している。
例2	機嫌が悪い人の気分を変える	・機嫌が悪いお母さんと、少し気の弱いお父さん、お腹のすいた子ども ・わがままな大学生とサークルの仲間	・演じ手が3人いることで、2人だけよりも演じやすい雰囲気が出る。 ・場面を会社に、役柄を上司と部下などに変えることもできる。
例3	会話で緊張をほぐし、リラックスさせる	・引っ込み思案な性格の転校生と数人のクラスメイト ・一人で出張に来た人と、受け入れ先の会社の人	・数名で演じることで、それぞれの個性が出る。人によって、リラックスできる方法は変わる。
例4	相手の気分を害さずに、不満を伝える	・部活動の先輩と後輩（先輩に練習方法を変えてほしいと伝える） ・嫁と姑（姑にあまり孫を甘やかさないでほしいと伝える）	・年齢や関心などにより、役柄を変えるとよい。 ・「嫁姑問題」は万国共通のようで、自分には関係なくても想像しやすいようである。

2. 進め方の例（例3）

役柄：引っ込み思案な転校生とクラスメイト2人
タスク：会話で緊張をほぐし、リラックスさせる

演じ手	観察者
A：こんにちは。Aと申します。 （修正） **A**：Aです。よろしく。 **転校生**：あ、○○です。よろしく。 **A**：今日の放課後、カラオケ行かない？	**ア**：ピピーッ。クラスメイトだから、敬語は使わなくていいんじゃない？ **イ**：ピピーッ。突然すぎるでしょ。 **ウ**：もう少し何か話してからのほうがいい。
B：どこから転校してきたんですか。 **転校生**：あー、えっと、コンケンです。 **B**：全然知らない。 （修正） **B**：コンケンってどこにあるんですか。 **転校生**：あ、タイの東北地方です。 **クラスメイトB**：あー、タイですか。僕はタイへ行ったことがありますよ。象に乗ったり、トムヤムクンを食べたり、お寺へ行ったり、ビーチで遊んだり……	**ア**：ピピーッ。そんな言い方だと、もっと緊張しちゃうんじゃない？ **イ**：ピピーッ。ちょっと自分の話が多すぎる。もうちょっと質問しながらのほうがいいと思うけど。
※上のように活動を進めていく。ダラダラと間延びしそうな場合は、活動の終了時間まで続けずに切りあげてしまったほうがよい。	

3. コメントの仕方
学習者どうしのコメント

× 悪い例	○ よい例
コメントなし。	コメントする。
※かならずしも推測が正しいとは限らないが、思った通り遠慮せずにコメントする。	
〜さんは、いつもしゃべりすぎて、うるさいです。	初めて会った人だから、もう少し相手の話も聞いたほうがいいと思います。
※観察者は演技のことについてだけコメントをする。普段のことを持ちだしてはいけない。	
私は明るい男の人が好き。	彼女は緊張してるから、もう少し笑顔で話しかけたほうがいいと思います。
※自分の気持ちではなく、演じ手の感情を推測してコメントをするように努める。	

教師から学習者へのコメント

学習者	教師
キムさん、遅いですみません。おそくれてすみません。	キムさん、遅れてすみません。遅くなってすみません。
お腹がすきますか。	お腹がすいていますか。
※日本語の文法や表現の間違いについては学習者は気づかないことが多いので、教師が問いかけたりうながしたりして適切な日本語を学習できるようにする。	

コラム

インプロ

　この活動は、インプロを参考にしました。「インプロ（improvisation）」とは、台本や打ち合わせなしの即興で劇を演じたり、音楽を演奏したりする形のことです。もとは演劇の分野で、役者の発想力や構成力の訓練のために使われていたそうです。現在ではさらに広く、コミュニケーション能力向上や、自分に気づくためのトレーニング方法として教育現場や企業においても用いられるようになりました。このインプロを日本語の授業に取りいれる効果については、つぎのようなものが考えられます。

①他人を演じることによる効果
- その人ならどうするか、その人はどんな気持ちなのか。ほかの人の立場や考え方を知るきっかけになる。
- 素のままの自分を演じて見せるのは恥ずかしいが、他人だと思うと割り切ってオーバーに演じられる場合がある。

②即興性による効果
- 台本があると、暗記したセリフをそのまま棒読みしがちだが、即興の演技の場合、学習者が自分の力でセリフを考えるため、既習の項目を駆使してコミュニケーションをするチャンスになる。
- 普段のコミュニケーションに近づくことで、相手と話すときの自然な間の取り方や、リズムをつかむことにつながる。また、会話の始まりや終わりが唐突にならないよう工夫するなど、自然な話し方をするきっかけとなる。

③クラス全員が参加できる／協力しあう
- クラスのなかには、演技をすることに非常に恥ずかしさを感じる学習者も、まったく抵抗を感じない学習者もいる。そのどちらかしか参加できない活動ではなく、演じ手として、あるいは観察者や観客として、どの学習者も同じ活動に一緒に参加できる。
- おたがいのアイディアを受け入れ、協力しあわないとシーンを作っていけないルールになっているため、常に相手を意識し、相手と協力することになる。

　また、インプロの授業では、自分が満足することや勝つことを目標にするのではなく、相手に楽しい時間を持ってもらうことが繰り返し強調されます。日本語を学ぶことが、自分を主張するだけにとどまらず、相手を思いやり、人とよい関係を築くために学ぶという意識にまで発展できるといいですね。

第4部　第3課

いらっしゃいませ

相手の心に届くほめ方をしてみよう！

📄 概要

相手をほめて、心地よくさせる：「ほめる」という行為は、人間関係の潤滑油となる一方で、相手の性格によって心地よいと感じるほめ方は異なるため、難しい。相手をよく観察して、考えたうえで適切にほめる練習をする。また、クラスメイトのほめ方に接することで、より多くのほめ方のバリエーションに接することができる。

基本活動：「店員がお客に何か商品をすすめる」というロールプレイをとおして、目に見える部分をほめる練習をする。相手の反応を見ながら、相手が心地よいと感じる伝え方をする。

応用活動：「落ちこんでいる友人を励ます」などのロールプレイをとおして、目に見えない部分（行動や考え方）をほめる練習をする。相手から情報を引きだしたり、相手の性格を考慮しながら、相手が心地よいと感じる伝え方をする。

🎯 目的

外見を適切にほめられるようになる：見ただけで得られる情報をもとに、相手の望むほめ方ができるようになる。

内面を適切にほめられるようになる：発言や行動から相手の内面に目を向けて、相手にとって心地よいほめ方ができるようになる。

レベル　　基本活動：中級前半〜　　応用活動：中級後半〜

時間　　　基本活動・応用活動：いずれも45分

人数　　　基本活動・応用活動：いずれも2人以上（2人のペア×ペア数）

準備　　　基本活動：基本活動ワークシートを人数分
　　　　　　応用活動：応用活動ワークシート1〜3を人数分

基本活動の手順

進め方	留意点
1. 導入（5分） 1. 「ほめること」「ほめられること」について意見交換をする。 2. 基本活動の目的を伝える。	➡ 教師からの質問例は、「基本活動の実際1」を参照。 ➡ 「目的」の一つ目を参照。
2. 基本活動1：外見や持ち物をほめる（20分） 1. ペアを作る。ワークシートに相手の外見や持ち物などのほめる点を書く。 2. ほめる役を決め、実際に言葉に出して相手をほめてみる。 3. 役割を交替し2と同様におこなう。 4. フィードバックをおこなう。	➡ 外見、持ち物ともに書くように指示する。それぞれ①～③まであるが、すべて埋める必要はない。 ➡ フィードバック例は「基本活動の実際2」を参照。
3. 基本活動2：接客場面で練習（20分） 1. 新しくペアを作る。 2. 教師が活動の注意点について説明する。 ①店の設定は「身につける物の店」にする。 ②目に見える部分をほめること。 ③相手の気分がよくなって、商品を買ってもらえるように考えること。 3. 店員と客という設定でロールプレイをおこなう。 4. 数組に発表してもらう。（時間にもよるが、3組程度を目安とする。） 5. フィードバックをおこなう。	➡ 先ほどとは違うペアが望ましいが、内向的な学習者が多い場合は、心理的負担を軽くするために、基本活動1と同じペアでもよい。 ➡ ロールプレイの例は「基本活動の実際3」を参照。 ➡ フィードバックの例は「基本活動の実際4」を参照。言語や文化による違いも取りあげてよいが、「どれがいい／悪い」という議論にならないように注意する。

基本活動の実際

1. 導入：「ほめること」「ほめられること」についての話

教師からの質問例

- 誰にたいしてどんなときにほめたことがありますか。よく人をほめるほうですか。
- 誰から、どんなときにほめられましたか。ほめられる機会は多いですか。
- どんなときに、どんな言葉でほめられるとうれしいですか。

2. 基本活動1のフィードバックの例

「どうでしたか」などの漠然とした質問は答えにくいので、具体的に聞く。また、「みなさん」とクラス全体に呼びかけると意見が出にくい場合があるので、その場合は個人を指名して答えてもらうようにする。

× 悪い例	○ よい例
教師：AさんはBさんにどんなことを言いましたか。 A：髪型がいいです。靴がいいです。字がきれいです……とかです。 教師：そうですか。みなさん、どうですか。 S：……。	教師：AさんはBさんにどんなことを言いましたか。 A：髪型がいいです。靴がいいです。字がきれいです……とかです。 教師：ではBさん、言われて一番うれしかったのはどんなことですか。 B：「その髪型はBさんらしくていいね」と言われたのがうれしかったです。 教師：どうしてうれしかったんですか。 B：「Bさんらしい」という言葉がうれしいなと思いました。

3. 基本活動2のロールプレイの例（Aは靴売り場の店員、Bは客という設定の場合）

　薦める場合は、単に「いいですよ」と言うだけでなく、何がどういいのかを具体的に説明する。また、商品の性能の説明だけにならないように、聞き手との接点を見つけだして相手をほめてみるようにする。

× 悪い例	○ よい例
A：ではこちらはいかがでしょうか。とてもいいですよ。	A：ではこちらはいかがでしょうか。長い時間はいても疲れないので、おすすめです。
B：（はいてみる）あ、すごくはきやすいですね。	B：（はいてみる）あ、すごくはきやすいですね。
A：値段も8,000円ですし、雨の日でも大丈夫ですし、おすすめです。	A：お似合いです！　それに、カジュアル過ぎないので、今日みたいなスーツのときでもぴったりですよ。

4. 基本活動2のフィードバックの例

　フィードバックのさいは、つぎのような観点から学習者に問いかけたり、教師自身の感想を述べることが考えられる。

店員役の人にたいして

- どうしてそのようなほめ言葉を使ったのか。
- ほめたときの相手の反応はどうだったか。
- 「別の言い方をすればよかった」と思った点はあるか。

お客役の人にたいして

- ほめられたときにどう感じたか。ほめ方が物足りないか、過剰か、ちょうどいいか。
- 具体的に、どのように言われたのがうれしかったか（あるいは気になったか）。
- 「こうほめられると、よりうれしい」ということはあるか。

その他の聞き手にたいして

- 「自分だったらこう言う」ということはあるか。
- 「自分だったらこう言われたい」ということはあるか。

| 基本活動ワークシート |

●目に見える部分をほめる

外見は？　　　　　　　　　　　　　　　　　　　　　　　相手の反応

　　　　　　　　　　　　　　　　　　　　　　　　　　　　よい・悪い

① _____　→ 5・4・3・2・1

② _____　→ 5・4・3・2・1

③ _____　→ 5・4・3・2・1

メモ（「こう言えばよかった」「この表現気に入った！」など、自由にメモ）

[　　　　　　　　　　　　　　　　　　　　　　　　　　　　]

持ち物は？　　　　　　　　　　　　　　　　　　　　　相手の反応

　　　　　　　　　　　　　　　　　　　　　　　　　　　　よい・悪い

① _____　→ 5・4・3・2・1

② _____　→ 5・4・3・2・1

③ _____　→ 5・4・3・2・1

メモ（「こう言えばよかった」「この表現気に入った！」など、自由にメモ）

[　　　　　　　　　　　　　　　　　　　　　　　　　　　　]

4-3 いらっしゃいませ

応用活動の手順

進め方	留意点
1. 導入（5分） 1. 一つの例をもとに、外見からわかること以外にどのようなほめ方ができるかについて全員で考え、内面をほめる活動への流れを作る。 2. 応用活動の目的を説明する。	➡ 導入例は「応用活動の実際1」を参照。 ➡「目的」の二つ目を参照。
2. 内面をほめる練習（10分） 1. ワークシート1を配付する。 2.「行動／考え方や性格をほめる」の部分を近くの人と考えてもらい、クラスで意見交換をおこなう。 3.「YOUメッセージとIメッセージ」の部分を近くの人と考えてもらい、クラスで意見交換をおこなう。	➡ この練習の目的は、内面をほめるための観点と方法を獲得させることである。「YOUメッセージ、Iメッセージ」についてはコラムを参照。
3. ロールプレイ（15分） 1. ペアを作ってワークシート2、3を配付し、活動の手順を説明する。 2. 相手の話を聞いて内面をほめるロールプレイをおこなう。その後、ワークシート2に感想などを記入する。 3. 役割を交替し2と同様におこなう。	➡ ロールプレイの場面設定については「応用活動の実際2」を参照。 ➡ ロールプレイは、アドバイスをするだけにならないように注意する。ロールプレイの例は、「応用活動の実際3」を参照。
4. フィードバック（15分） 1. ワークシート2を使ってフィードバックをする。	➡ 1人ずつ、どんなことにたいしてどのようにほめたかを話してもらう。ペアの相手には、それを言われたときの気持ちなどについて話してもらう。

4−3 いらっしゃいませ

進め方	留意点
2. ワークシート3を使って、自分が相手をどのようにほめたか、相手にどんな部分をどのようにほめられるとうれしいかをチェックする。	➡ この活動は、自分のほめ方のタイプを知るためにおこなうことなので、発表させる必要はない。

応用活動の実際

1. 導入の例

どんな例でもよいが、「外見をほめる」「内面をほめる」という両方の切り取り方ができる例を出したほうが、「外見→内面」へと段階を移行させていくことがよくわかってよい。

> [例] Aさんはすてきなカバンを持っています。話によると、そのカバンは彼女のお母さんが若いときに買ったもので、Aさんにくれたそうです。そのカバンはわりときれいで、20年前の物とは思えません。あなたはAさんに何と言いますか。

外見をほめる場合：

すてきなカバンですね。

20年前の物とは思えないぐらいきれいですね。

内面をほめる場合：

お母さんはとても物を大事にする方なんですね。

お母さんの物を娘が使うだなんて、なんだかすてきな話ですね。

2. ロールプレイの場面設定について

ロールプレイの場面設定はいくつかの場面を提示してそのなかから自由に選ばせる方法と、全員同じ場面設定でおこない、ほめ方のバリエーションを共有するという方法がある。場面設定の例としては、つぎのようなものが考えられる。

①人間関係や日本語学習などについての悩みを聞き、内面をほめて励ます。

②困難にぶつかったとき、どのようにして乗り越えたのかを聞きだし、内面をほめる。

③ストレス解消法について相手の考え方や発想を聞きだし、内面をほめる。

3. ロールプレイの例

アドバイスだけにならないように、また自分の話にすりかえないように注意する。

例1：日本語学習の悩みを相談する（AがBをほめる）

× 悪い例	○ よい例
A：Bさんは日本語が上手ですね……。 B：そんなことないですよ。Aさんも上手ですよ。 A：いや、私は文法は好きなんですけど、イントネーションが不自然で…… B：それなら、テキストのCDを聞きながら同時に言ってみる方法がいいですよ。私もそれを始めてから、「イントネーションがきれいになった」とほめられましたよ。 A：ありがとうございます。やってみます。	A：Bさんは日本語が上手ですね……。 B：そんなことないですよ。Aさんも上手ですよ。 A：いや、私は文法は好きなんですけど、イントネーションが不自然で…… B：Aさんは自分の弱いところがよくわかるんですね。自分のウィークポイントがよくわかっている人って、上手になるらしいですよ。 A：本当ですか。そうだといいんですけど……。

例2：ストレス解消法について聞いてみる（AがBをほめる）

× 悪い例	○ よい例
A：私、ストレスで最近あまり眠れないんですけど、そういうときってどうしていますか。 B：そうですね……音楽を聞きながら公園を散歩します。「歩く」っていいですよ。 A：そうですか……私は日記を書いて気持ちを整理します。 B：あぁ、「書く」というのもよさそうですね……。	A：私、ストレスで最近あまり眠れないんですけど、そういうときってどうしていますか。 B：そうですね……音楽を聞きながら公園を散歩します。「歩く」っていいですよ。 A：それはいいですね。お金がかからないし、健康にもいいし、いい方法ですね。ウォーキングは週末だけですか。 B：いえ、二日に1回ぐらいです。 A：えっ、Bさん忙しいのに、定期的に続けられるってすごいですね。

4. フィードバックの例

具体的に質問すること。たとえば「何」「誰」Yes/No Questionだけを使って質問すると、自由に答えることが難しいため、誘導して答えさせているかのようになってしまうことがあるので注意する。

× 悪い例	〇 よい例
教師：AさんはBさんに何と言いましたか。 A：「Bさんは見た目とは違って行動力があるんですね」と言いました。 教師：Bさんは、それを聞いてうれしかったですか。 B：はい、うれしかったです。 教師：そうですか。みなさんも、「見た目とは違って行動力がある」と言われたらうれしいですか。 S：はい……。	教師：AさんはBさんのどんなことにたいして、どのようにほめましたか。 A：Bさんの「落ちこんだときは改善点を見つけたチャンス！と思って、すぐに何かしらの行動に移す」という話を聞いて、「Bさんは見た目とは違って行動力があるんですね」とほめました。 教師：Bさんは、それを聞いてどう感じましたか。 B：うれしかったです。 教師：どうしてうれしかったんですか。 B：「見た目とは違って」のように、普段の私の印象をはっきりと言ってくれたのが、うれしいなと思いました。

応用活動ワークシート 1

●行動／考え方や性格をほめる

[例] Aさんは海外旅行に行ったとき、パスポートを盗まれてしまったのですが、すぐに大使館に行ってパスポートを発行してもらい、さらに大使館の人と親しくなって大使館に1泊させてもらったそうです。

> 行動をほめる：「すぐに大使館に行ったなんて、適切な行動でしたね。」
> 考え方や性格をほめる：「大変な状況も楽しめてしまうんですね。」

❓つぎのような状況では、どんなほめ方ができるでしょうか。

[練習] Aさんは頼まれると断れない性格で、最近とても忙しいのに、昨日は一日中友達の引っ越し作業を手伝っていたそうです。Aさんは「私は自己主張が下手なんですよ…」と言っています。Aさんの「行動」や「考え方」「性格」をほめて、Aさんが心地よいと感じる伝え方をしてください。

●YOU メッセージとI メッセージ

[例] ある日朝早く教室へ行くと、Aさんが一人で勉強をしていました。それを見て……

> YOUメッセージ：「Aさん、こんな朝早くに来て勉強するなんて、えらいですね。」
> I メッセージ：「Aさんを見ていると、私も頑張ろうという気持ちになります。」

❓つぎのような状況では、どんなほめ方ができるでしょうか。

[練習] Aさんは今日、先生に叱られてしまいました。とても落ちこんでいるようですが、「厳しく言ってくれるのは、ありがたいことだよね。もっと頑張らなくちゃ。」と言っています。それを聞いて、あなたはAさんを励ますためにどんな言葉をかけますか。YOUメッセージとI メッセージの両方を考えてください。

- YOU メッセージ：

- I メッセージ：

応用活動ワークシート 2

あなたがほめる場合　　　　　　　　　　　相手：（　　　　　　）さん

どんな言葉でほめましたか？	相手の反応	相手に理由を聞いてみよう
	よい　　　　悪い 1・2・3・4・5	
	よい　　　　悪い 1・2・3・4・5	

メモ（「こう言えばよかった」「この表現気に入った！」など、自由にメモ）

あなたがほめられる場合　　　　　　　　　相手：（　　　　　　）さん

どんな言葉でほめられましたか？	感想	理由
	よい　　　　悪い 1・2・3・4・5	
	よい　　　　悪い 1・2・3・4・5	

メモ（「こう言えばよかった」「この表現気に入った！」など、自由にメモ）

4-3 いらっしゃいませ

応用活動ワークシート 3

自分のほめ方はどうでしたか。

ほめる頻度は？	多い・ふつう・少ない
表現は？	直接的・間接的
どこをほめる？	外見・持ち物・行動・考え方・性格・その他（　　　　　）
伝え方は？	YOUメッセージが多い・Iメッセージが多い

あなたはどのようにほめられるとうれしいと感じますか。

ほめられる頻度	多いほうがうれしい・ふつうがいい・少ないほうがいい
表現は？	直接的なほうがうれしい・間接的なほうがうれしい
ほめられてうれしい点	外見・持ち物・行動・考え方・性格・その他（　　　　　）
伝え方は？	YOUメッセージがうれしい・Iメッセージがうれしい

4-3 いらっしゃいませ

コラム

①言語による「ほめ」の違い

　言語や文化によって、「何をどのようにほめるか」には違いが見られることがあります。同じ言語や文化に属する人がすべて同じというわけではなく、もちろん個人差を考慮する必要もありますが、ある程度の傾向は存在するようです。

　たとえば日本語母語話者と韓国語母語話者を比べた場合、「遂行（何をしたか）をほめること」が多いのはどちらも同じですが、「外見（の変化）をほめること」は、韓国語母語話者のほうが頻度が高いという結果が出ています。また、ポルトガル語話者は、手料理を食べたときは「おいしいですね。」の一言ではなく「どの料理がどんな点ですばらしいと思うのか」を言葉にして伝える傾向があるようです。ドイツ語母語話者にも同じような傾向が見られ、たとえば「日本語がお上手ですね。」よりも「発音がとてもきれいですね。」と言われたほうが、うれしさを感じるということです。

　このような違いは「ほめられたさいの返答方法」にもあらわれます。ほめられたさいの返答を「受け入れ」「打ち消し」「回避（例：話題や観点を変える）」に分けた場合、日本語では「受け入れ＋回避（例：ありがとう、母にもらったんです）」、「打ち消し＋回避（例：いえいえ、運がよかっただけですよ）」などの複合型が多く用いられる傾向があるのにたいし、タイ語では複合型はあまり用いられず「受け入れのみ」「回避のみ」という傾向があるようです。

② YOUメッセージ、Iメッセージ

　YOUメッセージというのは、「相手」が主語になる伝え方のことです（例「○○さん、最近がんばってるね。」）。上下関係がはっきりしているなかで、尊敬している相手から言われるとうれしいメッセージであると言われています。

　一方、Iメッセージというのは、「自分」が主語になる伝え方のことです（例「○○さんを見ると、私もがんばらなくちゃと思うんだ。」）。話し手が感じている事実をそのまま伝えるので、相手に受け入れられやすいという側面があります。ただ、自分の気持ちを率直に伝えるので、慣れないうちは照れ臭く感じてしまうこともあるかもしれません。

　また、そのほかにもWEメッセージというのがあり、これは「私たち」が主語になる伝え方のことを言います（例「○○さんのおかげで、発言しやすい雰囲気が作れたよ。」）。

　いろいろなパターンで伝えてみて、相手が心地よく感じる伝え方について考えてみましょう。

第4部　第4課

とっさの一言

相手の気持ちと場の雰囲気をよくして、気まずい場面を切りぬけよう！

概要

周囲を不快にさせない対応法：否定的な感情が生まれそうな場面でも、肯定的な対応をすることで、周囲との関係を良好にする術を学ぶ。

基本活動：「気まずい」場面における、自分らしい対応の方法を考える。ほかの人の対応と比較し、自分のコミュニケーションのタイプを広げるきっかけにする。

応用活動：相手がまねいた「気まずい」場面において、相手に恥をかかせないように、ユーモアを交えて切り抜ける方法を考える。

目的

気まずい場面を切り抜ける：気まずい場面、緊張した場面をうまく切り抜けるための発想や技術を身につける。

周囲の人を和ませる：相手との関係を良好に保ち、よい雰囲気を作ることに配慮した会話ができるようになる。

レベル	**基本活動**：中級前半～	**応用活動**：中級後半～
時間	**基本活動・応用活動**：いずれも45分	
人数	**基本活動・応用活動**：いずれも4人以上	
準備	**基本活動**：基本活動ワークシートを人数分 **応用活動**：応用活動ワークシートを人数分	

基本活動の手順

進め方	留意点
1. 話す前の準備（5分） ● ワークシートの「やってみよう！」を各自で考え、噴出しに記入する。	➡ 普段の自分ならどんな発言をするか、ということを正直に考えてみるよううながす。
2. 話す活動1（10分） ● 1人ずつ記入したことを発表する。ほかの学習者はその発言を聞いて、よいと思ったものを「この表現、使える！」の欄に書く。	➡ 教師は学習者の発言を板書していく。ここでは発言の内容が重要なので、文法的な間違いには注目せず、教師が修正して書く。
3. 考える活動（10分） 1. 1、2で記入したものをもとに、自分の行動や発言と、よいと思った発言とは何が違うのか、その特徴を各自で考えて、ワークシートの「よいと思った表現の特徴を考えてみよう！」に記入する。 2. よい表現の特徴について自分の考えたことを発表する。	➡ ワークシートへの記入は母語でもよい。学習者が、自分の普段とりやすい行動パターンや発言に気づけるとよい。 ➡ 教師は、学習者の発表内容を簡単にまとめて板書する。もし、多くの学習者が同じように感じた発言があれば取りあげる。
4. 話す活動2（10分） 1. ワークシートの「練習」について、今度は自分らしくではなく、よいと思う発言を考える。 2. 1人ずつ記入したことを発表する。ほかの学習者は感想を述べ、よいと思ったものとその理由を「この表現、使える！」の欄に書く。	
5. 発表とまとめ（10分） ● 1人ずつよいと思った発言とその理由を発表する。	➡ 教師は、学習者の発表を板書し、挙がった答えに共通する特徴をまとめる。配慮すべき点についても触れておく。（「基本活動の実際」の「2. 教師によるまとめ」参照）

基本活動の実際

1. ワークシートへの記入例

やってみよう！　1. 会社の先輩から、行きたくない課の食事会に誘われたとき

自分だったらどうするか	よいと思った発言
• すみません。会社の仲間で食事に行くのはあまり好きではないんです。	• お誘いうれしいです。ただ、会社の仲間で行くと、うれしすぎて食事がのどを通らないので……。今度、お腹をすかせて参加します。
• 先約のほうが大事なので。すみません。	• 先約をキャンセルしてでも行きたいんですが、優しい先輩とは違って、その人は断るとあとが怖くて……。次回は必ず参加します。
よいと思った表現の特徴：キッパリ断るのではなく、まず誘ってくれたことをうれしいと伝えている。	

やってみよう！　2. 先輩に年齢を当てるように言われたが、実年齢よりも上を言ってしまったとき

自分だったらどうするか	よいと思った発言
• すみません！　大変失礼しました。すみませんでした。 • え、ほんとうに30歳なんですか。先輩、もっと老けて見えますね。	• あー、私、まだ日本語で数が数えられなくて。間違えちゃいました。 • この間雑誌に、女性は35歳からが一番輝くって書いてあったので……。先輩、輝きすぎですよ。
よいと思った表現の特徴： • 自分のことを笑い話にして、あまり話題に触れない • 相手のためにプラスの表現を使う	

練習 2.「仕事がある」と言って、誘いを断った友人に居酒屋で偶然会ってしまったとき

自分だったらどうするか	よいと思った発言
仕事はウソだったんだ。男のつきあいよりも女性とのつきあいを優先してしまった。ウソをついてごめん。	もてない俺が、女の子と飲みにいけるこのチャンスを逃すと、二度とチャンスが来ない気がして、本能に負けた。すまん。
よいと思った表現の特徴：明るく、正直に謝ったほうがよい。	

2. 教師によるまとめ

考えられる特徴としては、以下のようなものが挙げられる。

- 誰のことも傷つけたり、批判したりしない。
- 明るく、正直に謝ってしまう。
- ユーモアで、自分のことを笑い話にする。
- マイナスのことも肯定的になるよう、プラスの表現を使う。

配慮すべき注意点としては、以下のようなものが挙げられる。

・受け取り方は人それぞれ。相手との関係、年齢、性格、好みなどを尊重する必要がある。
・明るく謝ったり、笑って済む状況かどうかを考える。

3. 活動全体について

このタスクに正解はなく、同じ場面でもさまざまな反応をする人がいること、自分とは違う考えの人がいることに気づくことが重要である。相手との関係によって、また「気まずい」ことの内容によっては、もちろん明るく謝るだけでは済まされないこともある。話す側としてだけでなく、聞き手がどう受け取るかを知ること、場の雰囲気を感じとることがとても重要である。また、クラスメイトのさまざまな表現を知ることで、自分の発想にはなかった、コミュニケーションのバリエーションを広げるきっかけにしたい。

| 基本活動ワークシート |

●やってみよう！

1. 突然、会社の先輩に「今晩、課のみんなで食事に行くことになったから、絶対来てね」と言われたが、気持ちがのらない。しかも今日は見たいドラマがある。さあ、どうやって断る？

この表現、使える！ （※ほかの人の発表を聞き「これはいい！」と思った表現をメモします。）

よいと思った表現の特徴を考えてみよう！

2. 会社の先輩に「私、何歳に見える？」と聞かれて、「35歳ぐらいですか。」と言ったら、先輩は「えー、30歳なんだけど。」と、ちょっと怒っている。さあ、どうフォローする？

この表現、使える！

よいと思った表現の特徴を考えてみよう！

4−4 とっさの一言

●練習

1. バーゲンで安く買った洋服をバイト先に着て行ったら、先輩もまったく同じセーターを着ていた！ 先輩はちょっと気まずそう。さて、どうする？

よいと思う発言

この表現、使える！

表現：

理由：

2. 「今晩飲みに行こうよ」と友人に誘われたが、気になっている女性／男性と行きたかったので「仕事が忙しい」と断った。ところがその後、居酒屋でその友人と会ってしまった。さあ、何と言う？

よいと思う発言

この表現、使える！

表現：

理由：

応用活動の手順

進め方	留意点
1. 話す前の準備（10分） 1. ワークシートの「やってみよう！」を各自で考え、答えを発表する。ほかの学習者はよいと思ったものとその理由を「この表現、使える！」の欄に書く。 2. どのような発言をメモしたか、その理由は何か、などを数人に発表させる。	➡ 応用活動では、場を和ませるのにユーモアをプラスするのが有効なことを説明する。 ➡ 教師は学習者の発言を板書していく。ここでは発言の内容が重要なので、文法的な間違いには注目せず、教師が修正して書く。
2. 考える活動（10分） 1. 1でメモしたものをもとに、雰囲気が和むと感じたものの特徴を各自で考え、発表する。 2. 教師は「会話にユーモアをプラスするためのアイディア」を紹介する。 3. 「やってみよう！」の例で各アイディアを使った会話を考え、数人が発表する。	➡ ユーモアをプラスするアイディアは「応用活動の実際2」を参照。学習者からの発言も取りいれて、紹介できるとよい。 ➡ 「やってみよう！」でメモしたものも併せて、場が和むと感じたもの、ユーモアを感じたものの特徴を自分なりに考える時間を作るとよい。
3. 話す活動（15分） • ワークシートの「練習」について、1人ずつ自分の答えを発表する。ほかの学習者は、感想を述べ、よいと思ったものとその理由を「この表現、使える！」の欄に書く。	➡ 人数が多いクラスの場合、発表者は各問題につき数人にしてもよい。あるいは、4～5人のグループに分かれ、全員に発表させることも可能。 　話すことに消極的なクラスの場合、教師がいくつか発言の例を用意しておいたほうがよい。 　ワークシートへの記入は母語でもよい。

進め方	留意点
4. まとめ（10分） ● クラス全体で、場を和ませるユーモアの特徴について考え、ワークシートに記入する。	● 教師は挙がった答えに共通する特徴をまとめる。

応用活動の実際

1. 場面について
- ワークシートの例以外にも、どの学習者にも共通しそうな場面をいくつか用意しておくとよい。さらに、主婦、学生、会社員など、立場などによっては日常の生活場面が異なるので、学習者に合わせたものを準備すると参加の意欲が増す。
- 学習者が気まずいと感じるのはどのような場面か、実際に自分が体験した「気まずい場面」を出しあってもよい。
- 照れくさい場面やカチンときた場面でどう対応するか、元気のない人を元気づける言葉がけなど、場面を広げることも可能である。

2. ユーモアをプラスするアイディア

相手のミスや気恥かしさをフォローしたり、緊張した状態をリラックスさせたりするためには、ユーモアを取り入れるのが有効である。ユーモアをプラスするアイディアには以下のようなものがある。
他人や自分自身を傷つけたり、批判したりしないことが前提で、
①ほめすぎない程度にほめる／オーバーリアクションをする
②明るく相手を批判すると同時に、自分の下心や欠点も公開する
③わざと勘違いをしてみせる

例
①ほめすぎない程度にほめる／オーバーリアクションをする
　やってみよう！　カラオケで先輩の歌の音が外れたとき
　　→先輩、今のかなりおもしろかったですね。
　練習1　素敵な笑顔の先輩の歯に食べかすがついているとき
　　→先輩の素敵な笑顔は完璧だけど、歯にかわいくノリが残っているので、99点かな。

②明るく相手を批判すると同時に、自分の下心や欠点も公開する

やってみよう！　カラオケで先輩の歌の音が外れたとき
　→やったー、これで私が歌いやすくなった！

練習２　先輩が「○○ちゃんって、洋服のセンス悪いよね」と言ったときに、ちょうどその子が部屋に入ってきた
　→……って先輩が言ってるから、今度ショッピングに連れていってもらおうね。
　→たしかにセンス悪いわ。って、それ、私が薦めた服だよね？　あちゃー！

③わざと勘違いをしてみせる

やってみよう！　カラオケで先輩の歌の音が外れたとき
　→今のって、もしかしてニューバージョンですか。

練習３　店長が「シン（沈）さん」を何度も間違って「チン（沈）さん」と呼んでいるとき
　→あれ？「シン」さんって、ほんとは「チン」なんですか。
　→チンさん！　あ、店長のせいで私まで「チン」さんって言っちゃったじゃないですか。

※ユーモアについては、聞き手によっても、話し手の性格や傾向によっても印象が違うことにも気づかせたい。いつもあまり主張しないタイプの人が、突然オーバーリアクションをとるのは無理があるし、気まずい気持ちに触れられたくないタイプの人もいる。人間関係を円滑にする活動なので、以上の例は万人に当てはまるものではないことに留意させたい。

応用活動ワークシート

緊張した空気を和ませ、相手をリラックスさせるには、ユーモアをプラスするのが有効です。相手が思わず笑顔になるようなコミュニケーションを考えてみましょう。

●やってみよう！

カラオケが得意な先輩と、歌いに行った。先輩が気持ちよさそうに歌いだしたのだが、音が外れてしまった。気まずそうな先輩に、どう声をかける？

この表現、使える！（※ほかの人の発表を聞き「これはいい！」と思った表現をメモしましょう）

表現：
理由：

よいと思った表現の特徴を考えてみよう！

●練習

1. 憧れのかっこいい先輩が食事から戻ってきた。先輩は素敵な笑顔であいさつしてくれたが、歯に食べかすがついているのが見えた。上手に教えてあげましょう。

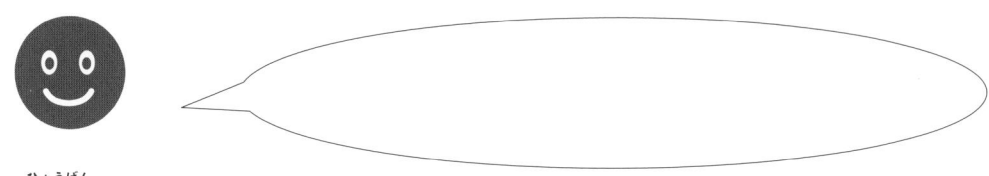

この表現、使える！

表現：
理由：

4-4 とっさの一言

2. 先輩が「○○ちゃんって、洋服のセンス悪いよね」と言ったときに、ちょうどその子が部屋に入ってきた。先輩も○○ちゃんも気まずそう。どうやってフォローする？

この表現、使える！

表現：
理由：

3. バイト先の店長は、何か月たっても「シン（沈）さん」のことを「チン（沈）さん」と呼ぶ。シンさんはちょっとうんざりしている。店長に明るく注意してみよう。

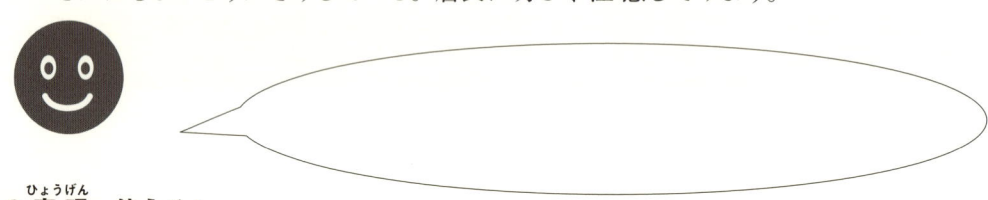

この表現、使える！

表現：
理由：

4-4 とっさの一言

● まとめ

みんながよいと思った表現

場を和ませる表現、ユーモアのある表現に共通する特徴

コラム

社会的スキル

よく学習者から、「先生、この間困ったことがありました。そういうとき、何と言いますか。」という質問を受けます。日本語（外国語）のテキストや練習では、ある一つの場面に一つの表現の形が決められているので、たしかに、その一つを知っていればまずは安心でしょう。

しかし、その場ですぐに学習者に答えを与えるのではなく、「○○さんは、何と言いたかったんですか。」と聞き返すことが大切です。同じ場面、同じ国の人であっても反応はさまざまで、教師から唯一の正解を与えることはできません。自分自身はどう反応したいのか、何をどう伝えたいのか、そこからコミュニケーションが始まります。基本活動では、この、自分が何を伝えたいのかに気づかせることから始めています。日本語を教えていると、このような場面では日本語ではこのように言う、という言語的スキルの教育に傾いてしまうことがありますが、学習者には個性があって、伝えたいことがそれぞれ違う以上、社会的スキルがそれに劣らず重要です。社会的スキルとは、社会生活のなかで人と良好な関係を作ったり、保ったりする能力のことです。この能力は、体験やトレーニングなどをとおして学ぶことができ、それにより対人関係を円滑にし、共に生活していくために必要な力を養うことができると考えられています。

社会的スキルを身につけると、何か気まずい場面に遭遇したとき、相手を一方的に責めたり、あるいは自分だけがじっと我慢するのではなく、おたがいが納得できるところへ向かうことができるようになります。第4部第1課で紹介したアサーティブネスも、そうした社会的スキルの一つです。

日本語を学び、しっかりと自分の主張ができるようになった学習者がつぎに目指すのはどんなことでしょうか。日本語を使って、他者とよい関係を築いていくことではないでしょうか。そのためには、自分を表現するだけでなく、相手の立場になって考え、感じることができる「共感能力」（ハウエル・久米1992）が必要です。そして、そこにさらにユーモアをプラスすると、笑顔でコミュニケーションができるようになるでしょう。これは、日本語ネイティブ、ノン・ネイティブに限らず大切なことだと思われます。

第4部　第5課

ユーモアを交えて

日常の何気ない話を、ユーモアを交えておもしろく演出しよう！

概要
ユーモアのレトリック：表現上のレトリックを使って、日常的な内容をおもしろいものに仕立てあげる。

基本活動：「物語」を話すときに、何らかの言語表現を追加して、ユーモアのある話に演出する。

応用活動：自分のことを話すときに、何らかの言語表現を追加して、ユーモアのある話に演出する。

目的
一手間加えてユーモアを作る：普通の言語表現は、一工夫することにより、ユーモアのある「おもしろい」表現になりうる。ここでは、日常の何気ない出来事をおもしろく伝える発想や方法を考えることを目指す。

基本活動：既存のテキストに、何らかの表現を追加することにより、ユーモアを感じさせる工夫の仕方を学ぶ。

応用活動：自分で自由に作ったテキストに、さらに何らかの表現を追加することにより、ユーモアを生みだす方法を学ぶ。

レベル	基本活動：上級前半〜	応用活動：上級前半〜
時間	基本活動・応用活動：いずれも45分	
人数	基本活動・応用活動：いずれも5人〜20人程度	
準備	基本活動：基本活動ワークシート1、2を人数分 応用活動：応用活動ワークシート1、2を人数分	

基本活動の手順

進め方	留意点
1. 話す前の準備（10分） 1. ユーモアの説明に5分、記入に5分をとる。 2. ワークシート1の文章に、自分なりに何らかの表現を追加してもらう。	➡「前置きの表現」「余分な表現」について話す。（「基本活動の実際1」参照） ➡ 黒板に、基本活動ワークシート1の文を板書する。
2. 話す活動（25分） ● 各自が完成させた文を発表する。ほかの学習者はその発表を聞き、おもしろかった表現をワークシート2に記入する。	➡ ①から⑫までの、どの部分にどんな表現を入れたのか、学習者と確認しながら進める。板書した文に、発表された「追加文」を記入していく（簡略な形でよい）。どのような表現を入れたかだけでなく、どこに入れたかにも注目させる。
3. まとめ（10分） 1. 学習者はワークシート2に記入したおもしろいと感じた表現を発表する。 2. 教師は出てきたユーモアを生む表現をまとめ、どのような発想があったか全体で振り返る。	➡ 教師はある程度、似かよった発想のものを分類して提示する。

基本活動の実際

1. 導入としての講義

活動の実際に入るまえに、導入として下記の内容を紹介する。

前置きの表現

「こんなことを言ったら、驚かれるかもしれませんが……」という表現のあとには、当然驚くべき内容の言葉が入ると思われる。「私、見ていただければわかる通り……」という表現のあとには、当然見ればわかるであろうことが来るはずである。言語表現には、このように、決まった流れを作る「前置きの表現」がある。接続詞を考えてみても、「A、しかし」と来たら、

そのつぎには、Aとは逆の内容のBが来ると思われる。
　ユーモアは、こういった表現を逆手に取ると、生まれやすい。

- 「こんなことを言ったら、驚かれるかもしれませんが、私、1日3回食事するんです。」
  →驚かない。みんなが1日3回食事をする。
- 「私、見ていただければわかるとおり、1日3回食事するんです。」
  →見なくてもわかる。
- 「佐藤さんは、1日3回食事をします。しかし、私は1日3回食事をするんです。」
  →いや、同じだろう。

　このように、「決まった流れ」を崩す表現は、「→」で示したような「特殊な意味」を生む。これがユーモアの一端である。

余分な表現

　何らかの余分な表現を、普通の表現の前後に付け加えることにより、その意味を「特殊」にすることもある。

- 「私は、1日3回食事をするんです。二つの意味で。」
  →ほかにどの意味があるの？
- 「私、1日3回食事をするんです。そして死んでいくんです。」
  →寂しい！
- 「私、1日3回食事をするんです。夜明けと早朝と午前中に。」
  →全部朝です。

など、何か余分な情報を文の前後に「付け足す」ことで、「→」で示したような「特殊な意味」を生む。これもユーモアの一端である。
　基本活動では、日本人なら誰もが知っている物語の定型句に、上記のような、何らかの言語表現を追加することにより、特殊な意味を生み出し、ユーモアを感じさせる表現にすることを試みる。

　ここでは、「昔話」のなかでもとくに有名な、「桃太郎」の冒頭を例にしてみる。
「むかしむかし　あるところに　おじいさんと　おばあさんが　住んでいました。
　おじいさんは山へしば刈りに行き、
　おばあさんは川へ洗濯に行きました。」
この文章に、「前置きの表現」あるいは「余分な表現」を付け足すことで、ユーモアを感じさ

せる表現を作りだし、そのパターンを学ばせることを試みる。

例

①むかしむかし　②あるところに　③おじいさんと　④おばあさんが　⑤住んでいました。

　⑥おじいさんは　⑦山へ　⑧しば刈りに行き、

　⑨おばあさんは　⑩川へ　⑪洗濯に行きました　⑫。

①に「かいつまんで言うと、」
⑤に「マンションに」
④と⑤の間に「具体的にいうと、東京都練馬区5-8-54　電話番号は……ですが、」
⑥に「ご存知のとおり、」
⑨に「ふてくされて」
⑫に「その5年後に」

この例のように、①から⑫までの表現の間に空欄を作り、どこかに、「前置きの表現」あるいは「余分な表現」を入れる。

上記の例では、「かいつまんで言うと」「ご存知のとおり」が「前置きの表現」、その他は「余分な表現」である。

2. まとめのさいに

「前置きの表現」には、どのような表現があったか、接続詞、副詞、後ろに来る表現がある程度決まっている表現などに分類する。

- 接続詞：「しかし」「さらに」「つまり」「したがって」「だから」
- 定型句：「ご存知のとおり」「かいつまんで言うと」「こういったら変に思われるかもしれませんが」

「余分な表現」には、どのような表現があったか、特徴を分類する。

- 情報の具体化：「具体的に言うと、東京都練馬区5-8-54　電話番号は……」
- 時間の操作：「その5年後に」「ということが500年前の話」
- 感情を表す表現：「ふてくされて」「喜んで」「がっかりしながら」
- 世界観の変化：「マンションに」　※昔話にマンションが出てくる。
- 視点の移動：「一方そのころ」「そんな彼を、彼女は」　※叙述の視点の移動
- 程度の差：「直径3メートルほどの（桃）」「体長2センチの（桃太郎）」

……など出た案をある程度パターン化する。

ちなみに、このパターン分類をすることを目的とした課ではないので、専門的にまとめなくてよい。

パターン分類をする意味は、ユーモアを生む表現に、どのような発想があったのか、ということを振り返り、つぎの課題に活かすことにあるので、かならずしも正確な分類基準を設ける必要はない。

なお、クラスによっては、「情報の具体化」だけに絞った作例、「感情を表す表現」だけに絞った作例にしてみるのもよい。
　発想は無限にあるので、上級の柔軟性のあるクラスでは、縛りを設ける必要はない。

　最後に、どの部分に表現を盛りこんだか、またなぜその部分に表現を付け加えたのか、考察する。
　名詞の前に、連体修飾節を入れたのか、場所や人のあとに情報を補足したのか、文頭に接続詞を入れたのか、など、だいたい「こういう場所がねらいどころ」だということを、イメージしてもらうのが目的なので、ここでは、毎回違う結論が出てもよい。

基本活動ワークシート 1

以下の文章に手を入れて、聞き手を笑わせてみましょう。
あなたなら、どこに、どのような文を付け加えて、聞き手を笑わせたいと思いますか。

---
① むかしむかし　② あるところに　③ おじいさんと　④ おばあさんが　⑤ 住んでいました。　⑥ おじいさんは　⑦ 山へ　⑧ しば刈りに行き、⑨ おばあさんは　⑩川へ　⑪ 洗濯に行きました　⑫。

場所：

文：

場所：

文：

場所：

文：

場所：

文：

場所：

文：

基本活動ワークシート 2

誰の、どのような表現をおもしろいと思いましたか。

-
-
-
-
-

応用活動の手順

進め方	留意点
1. 話す前の準備（10分） ・「昨日あったこと」という70字〜100字の作文をワークシート1に書く。	➡ ここでは、昨日あったことを脚色せずに簡潔に書くように指示する。
2. ユーモアの加工（5分） ・1で書いた作文にユーモアのある表現を書き加える。	➡ 作文の中で、付け加える場所に番号をつけ、表現を書き込むようにする。 　最初の表現を変えたい場合は、表現に下線を引き、書き直してもよい。
3. 話す活動（20分） ・話し手は2で書いたものを発表する。聞き手はおもしろかった表現をワークシート2に記入する。	➡ あくまでも口頭表現活動なので、読みあげるのではなく、頭のなかで再構成して話させるようにする。その場でさらに作文にないアドリブを加えてもよい。
4. まとめ（10分） 1. 学習者はワークシート2に記入したおもしろいと感じた表現を発表する。 2. 教師は、学習者から出たおもしろい表現をまとめ、実際の場面での応用の可能性を提言する。	

応用活動の実際

1. 話す前の準備

- 最初に書く「昨日あったこと」は、なるべく感情を入れず、簡潔にまとめさせるとよい。
- 付け加える表現によっては、最初に書いた本文を修正する必要が出てくる場合があるが、それは許容してよい。（教員自ら例を示して、修正した文章で発表し、手本を見せてもよい。）

例①今となっては記憶にありませんが、~~昨日、~~駅前のデパートに靴を買いに行きました。
　※この場合「昨日」を消してもよい。

2. ユーモアの加工の例

　①昨日、駅前のデパートに靴を買いに行きました。②革靴を買おうと思っていたのに、③気に入ったデザインのものがありませんでした。④結局、その場で気に入ったスニーカーを買ってしまいました。

　▼付け加える表現
　①今となっては記憶にありませんが、
　②もちろん家は買いませんでした。
　③すると衝撃の展開！／なんと！
　④そして、2011年11月11日11時11分12秒、

3. 話す活動

- 誰のどういう表現が笑いを誘っていたか、また、誰のどういう表現が笑いを誘わなかったか、学習者に注意させる。

4. まとめ

- 自分の発想になかった表現や、自分がおもしろいと感じた表現に、どのような傾向があるか、各自に考えさせ、発表させる。
- 自分のことについて語るときに、どのような表現を加えると、聞き手が喜ぶか、その傾向をもとに「自分らしい話し方」を築きあげられるとよい。
- 応用活動では、非言語行動にも注目して、より笑いの精度を高める技術を自覚してもらうのもよい。
　話すさいの、
　・スピードの緩急
　・声のトーンの高低
　・声の大きさの強弱
　・身振り手振り
　・表情
　・誰を見て話すか
　など、効果的だと思われた非言語行動を挙げていく。

応用活動ワークシート1

「昨日(きのう)あったこと」

[   ]

上の文章(ぶんしょう)に、付(つ)け加(くわ)える表現(ひょうげん)を考え、付け加える場所(ばしょ)に番号(ばんごう)①、②、③……を書きこみ、下にその表現を書きましょう。

▼付(つ)け加(くわ)える表現(ひょうげん)

①

②

③

④

応用活動ワークシート2

誰(だれ)の、どのような表現(ひょうげん)をおもしろいと思いましたか。また、どういうところが参考(さんこう)になりましたか。

-
-
-

4-5 ユーモアを交えて

コラム

笑いとは「新しい意味」

　この課で取りあげた「前置きの表現」「余分な表現」は、日本のお笑い用語で言う「ボケ」「ツッコミ」の「ボケ」に当たります。ボケが成り立っているどうかは、それにツッコミが入れられるかどうかで測れます。たとえば、「残念なことに、私は宝くじで100万円当たってしまいました」に「それが残念なことかよ！」とツッコミがうまく入れられれば、ボケになっているということです。

　ボケとは、その文、その文脈において、本来意図していない、新しい意味を作る作業であり、ツッコミとは、その新しい意味を指摘することです。

　しかし、そのボケがおもしろいかどうかは別の問題です。ボケがおもしろくなるためには、二つの条件が必要です。一つは、意外性です。ボケとして「100万円当たること」がありきたりであれば、おもしろくありません。盛りこまれている内容がありきたりでなければないほど、おもしろくなるものです。

　だからといって、荒唐無稽なものを入れればよいというものでもありません。「残念なことに、私は宝くじで100万円当たってしまいました」よりも、「残念なことに、私は宝くじで1億円当たってしまいました」のほうがおもしろいとは限りません。むしろ、「残念なことに、私が自動販売機の前でぼうっと立っていたら、勝手にジュースが落ちてきました」のほうがおもしろいと感じられるかもしれません。ボケのおもしろくなるもう一つの条件に親近性があるからです。聞き手にとって身近で関心のある内容であればあるほど、おもしろいという傾向があるようです。

　意外性の側面と、聞き手の興味・関心に近いほどよいという親近性の側面、この二つを同時に満たすものはそうそうありません。そのため、笑いのプロたちでさえ、そのジレンマの間で苦悩するのです。

　もし、いいボケが思い浮かばない場合は、新しい意味から先に考えるといいでしょう。「長いよ！」「それ○○だろ」「そっちじゃない」「それ言ったらダメだろう」「いつの話だよ」など、ツッコミを考えてから、それに合うボケを考えるのです。おわかりでしょうか、笑いのパターンというのは、ツッコミのパターンと同じなのです。

　教師として授業をするときも、あるいは式典でスピーチをするときも、さらには飲み会や雑談の場でも、ユーモアは欠かすことができない道具です。この課の内容を扱う授業だけでなく、それ以外の授業でも「前置きの表現」「余分な表現」を活用してぜひ笑いの技をみがいていただきたいと思います。

参考文献

第1部第1課 おしゃべりの引き出し
西口光一（2001）「状況的学習論の視点」青木直子・尾崎明人・土岐哲［編］『日本語教育学を学ぶ人のために』世界思想社

縫部義憲（2001）「ヒューマニスティック・サイコロジーの視点」青木直子・尾崎明人・土岐哲［編］『日本語教育学を学ぶ人のために』世界思想社

岡崎敏雄・岡崎眸（1990）『日本語教育におけるコミュニカティブ・アプローチ』凡人社

田中武夫・田中知聡（2003）『「自己表現活動」を取り入れた英語授業』大修館書店

第1部第2課 個性的な自己紹介
全鍾美（2010）「初対面会話における韓国人日本語学習者の自己開示の研究」『小出記念日本語教育研究会論文集』18　pp.5-22

深田博己（2003）「コミュニケーションの心理学（7）自己開示のコミュニケーション」『月刊日本語』16-10　アルク　pp.52-55

藤田依久子（2007）『対人コミュニケーション入門［上］』ナカニシヤ出版

第1部第3課 私の自慢
井本亮（2004）「誇張表現としてのホド構文」『日本語と日本文学』39　筑波大学国語国文学会　pp.1-15

川口義一・蒲谷宏・坂本惠（1996）「待遇表現としてのほめ」『日本語学』15-5　明治書院　pp.13-22

滝浦真人（2008）『ポライトネス入門』研究社

第1部第4課 雑談力をみがく
張瑜珊（2006）「台日女子大生による初対面会話の対照分析：初対面会話フレームの提案を目指して」『人間文化論叢』9　お茶の水大学　pp.223-233

中井陽子（2003）「話題開始部で用いられる質問表現：日本語母語話者同士および母語話者/非母語話者による会話をもとに」『早稲田大学日本語教育研究』2　早稲田大学　pp.37-54

中井陽子（2003）「初対面日本語会話の話題開始部／終了部において用いられる言語的要素」『早稲田大学日本語研究教育センター紀要』16　pp.71-95

中井陽子（2004）「話題開始部／終了部で用いられる言語的要素—母語話者及び非母語話者の情報提供者の場合—」『講座日本語教育』40　早稲田大学日本語研究教育センター　pp.3-26

楊虹（2007）「中日母語場面の話題転換の比較—話題終了のプロセスに着目して—」『世界の日本語教育』17　独立行政法人国際交流基金　pp.37-52

第1部第5課 チームで協力！
有田佳代子（2004）「日本語教員養成入門科目におけるジグソー学習法の試み」『日本語教育』123　pp.96-105

舘岡洋子（2005）『ひとりで読むことからピア・リーディングへ　日本語学習者の読解過程と対話的協働学習』東海大学出版会

筒井昌博（1999）『ジグソー学習入門』明治図書

Aronson, Elliot. & Patnoe, Shelley.（1997）*The Jigsaw Classroom: Building Cooperation in the Classroom（2nd ed.）*. New York: Longman.

第2部第1課　ウソを見破れ！
ポール・グライス（1998）『論理と会話』勁草書房（清塚邦彦 訳）
小泉保（2001）『入門 語用論研究―理論と応用』研究社
野崎昭弘（1976）『詭弁論理学』中央公論新社

第2部第2課　話し方とキャラクター
桜井一紀／日経情報ストラテジー編（2006）『ビジネス現場のコーチング活用法』日経ＢＰ社
鈴木義幸（2002）『コーチングのプロが教える「ほめる」技術』日本実業出版社

第2部第3課　偶然について話す
有田節子（2007）『フロンティアシリーズ20　日本語条件文と時制節性』くろしお出版
石黒圭（2003）「「のだ」の中核的機能と派生的機能」『一橋大学留学生センター紀要』6　pp.3-26
白川博之監修、庵功雄・高梨信乃・中西久実子・山田敏弘（2001）『中上級を教える人のための日本語文法ハンドブック』スリーエーネットワーク
名嶋義直（2007）『フロンティアシリーズ19　ノダの意味・機能－関連性理論の観点から－』くろしお出版

第2部第4課　コメント力をきたえる
池田玲子・舘岡洋子（2007）『ピア・ラーニング入門―創造的な学びのデザインのために』ひつじ書房
大島弥生（2009）「語の選択支援の場としてのピア・レスポンスの可能性を考える」『日本語教育』140　pp.15-25
大島弥生ほか（2005）『ピアで学ぶ大学生の日本語表現・プロセス重視のレポート作成』ひつじ書房
原田三千代（2006）「中級学習者の作文推敲過程に与えるピア・レスポンスの影響―教師添削との比較―」『日本語教育』131　pp.3-12

第2部第5課　上手な意見の伝え方
香取一昭・大川恒（2009）『ワールド・カフェをやろう！』日本経済新聞出版社
國分康孝監修、片野智治ほか編（2001）『エンカウンターで学級が変わる　高等学校編』図書文化
國分康孝監修、縫部義憲編（1998）『教師と生徒の人間づくり』第3集・第4集　瀝々社
渋谷実希（2008）「他者との関係を意識した学習活動：「体験学習」を取り入れた会話クラスの実践報告」『一橋大学留学生センター紀要』11　pp.125-135
アニータ・ブラウン＆デイビッド・アイザックス（2007）『ワールド・カフェ　カフェ的会話が未来を作る』ヒューマン・バリュー（香取一昭・川口大輔訳）
Nolasco, Rob. & Arthur, Lois.（1987）*Conversation, Resource Books For Teachers*. Oxford: Oxford University Press.

第3部第1課　説明のコツ
甲田直美（1996）「接続詞とメタ言語」『日本語学』15　明治書院　pp.28-34
西條美紀（1999）『談話におけるメタ言語の役割』風間書房

佐藤紀美子・藤井みゆき（2010）「ディベートの尋問における日本語学習者のメタ言語使用の特徴―日本語母語話者との比較から―」『同志社大学日本語・日本文化研究』8　同志社大学日本語・日本文化教育センター　pp.52-74

杉戸清樹（1996）「メタ言語行動の視野―言語行動の『構え』を探る視点―」『日本語学』15　明治書院　pp.19-27

寅丸真澄（2010）「講義の談話におけるメタ言語表現の機能」『早稲田日本語研究』19　早稲田大学日本語学会　pp.49-60

第3部第2課　これは誰の意見？

杉浦まそみ子（2002）「日本語の引用表現研究の概観：習得研究にむけて（第1章　文法形式と機能の習得と使用）」『言語文化と日本語教育増刊特集号　第二言語習得・教育の研究最前線：あすの日本語教育への道しるべ』　日本言語文化学研究会　pp.120-135

藤田保幸（1999）「引用構文の構造」『國語學』198　日本語学会　pp.1-5

松木正恵（2005）「引用と話法」『日本語学』24-1　明治書院　pp.60-70

第3部第3課　フィラーにトライ！

大工原勇人（2008）「指示詞系フィラー「あの（ー）」・「その（ー）」の用法」『日本語教育』138　pp.53-62

定延利之・田窪行則（1995）「談話における心理操作モニター機構―心的操作標識「ええと」「あの（ー）」―」『言語研究』108　日本言語学会　pp.74-93

寺尾綾（2009）「スタイルとしてのフィラーの運用と使い分け―中国語を母語とする日本語学習者の縦断データの分析」『第24回社会言語科学会研究大会発表論文集』社会言語科学会　pp.240-243

山根智恵（2002）『日本語研究叢書15 日本語の談話におけるフィラー』くろしお出版

第3部第4課　依頼のテクニック

今井芳昭（2005）「依頼・要請時に用いられる影響手段の種類と規定因」『心理学評論』48-1　心理学評論刊行会　pp.114-131

今井芳昭（2006）『依頼と説得の心理学』サイエンス社

岡本真一郎（2005）「言語的スタイルと説得」『心理学評論』48-1　心理学評論刊行会　pp.85-93

蒲谷宏・川口義一・坂本惠（1998）『敬語表現』大修館書店

蒲谷宏・金東奎・高木美嘉（2009）『敬語表現ハンドブック』大修館書店

第3部第5課　説得の技術

石黒圭（1998）「逆接の予測：予測の読みの一側面」『早稲田日本語研究』6　早稲田大学国語学会　pp.21-32

神尾昭雄（1990）『情報のなわ張り理論―言語の機能的分析』大修館書店

小林康夫（1998）「知のポリティクス　創造的批判とその責任」小林康夫・船曳建夫［編］『新・知の技法』東京大学出版会

西村史子（2007）「断りに用いられる言い訳の日英対照分析」『世界の日本語教育』17　独立行政法人国際交流基金　pp.93-112

脇田里子（2008）「口頭表現における議論する力を伸ばす試み」『同志社大学日本語・日本文化研究』6　同志社大学日本語・日本文化教育センター　pp.14-30

第4部第1課　私ならあなたなら

ロバート・E. アルベルティ＆マイケル・L. エモンズ（2009）『自己主張トレーニング　改訂新版』東京図書（菅沼憲治・ジャレット純子訳）

入江詩子・菅原良子・開浩一・清水隆司（2008）「大学におけるアサーティブ・トレーニングの教育効果に関する考察：自己信頼感の獲得を中心にして」『長崎ウエスレヤン大学現代社会学部紀要』6-1　pp.1-11

平木典子（2009）『改訂版　アサーション・トレーニング ―さわやかな〈自己表現〉のために―』金子書房

森田汐生（2010）『気持ちが伝わる話しかた』主婦の友社

第4部第2課　あなたも私も幸せに

絹川友梨（2002）『インプロゲーム　身体表現の即興ワークショップ』晩成書房

高尾隆（2006）『インプロ教育：即興演劇は創造性を育てるか？』フィルムアート社

中野民夫（2001）『ワークショップ』岩波書店

Johnstone, Keith. (1999) *Impro for storytellers*. Routledge, New York: Faber and Faber Limited.

第4部第3課　いらっしゃいませ

大滝敏夫（1996）「ほめことばの日独比較」『日本語学』15-5　明治書院　pp.43-49

金庚芬（2005）「会話に見られる「ほめ」の対象に関する日韓対照研究」『日本語教育』124　pp.13-22

サーヤン・コーサティアンウォン（2003）「ほめ言葉に対する返答スタイルの日タイ比較―全体的傾向と上下関係による返答スタイルの違いについて―」『日本語・日本文化研究』13　大阪外国語大学日本語講座　pp.171-181

鈴木義幸（2002）『コーチングのプロが教える「ほめる」技術』日本実業出版社

田辺洋二（1996）「ほめことばの日・英語比較」『日本語学』15-5　明治書院　pp.33-42

日向ノエミア（1996）「ほめことばの日伯比較―感謝とほめことば―」『日本語学』15-5　明治書院　pp.50-58

第4部第4課　とっさの一言

相川充（2000）『セレクション社会心理学-20　人づきあいの技術―社会的スキルの心理学』サイエンス社

岡崎洋三・西口光一・山田泉（2003）『日本語教師のための知識本シリーズ③人間主義の日本語教育』凡人社

大坊郁夫（2004）「言語的・非言語的コミュニケーションを活用する社会的スキル向上の研究」『平成14、15年度日本学術振興会科学研究費補助金（基盤研究c）研究成果報告書』

田中共子・中島美奈子（2006）「ソーシャルスキル学習を取り入れた異文化間教育の試み」『異文化間教育』24　pp.28-37

ウィリアム・S. ハウエル＆久米昭元（1992）『感性のコミュニケーション―対人融和のダイナミズムを探る』大修館書店

第4部第5課　ユーモアを交えて

安部達雄（2005）「漫才における「ツッコミ」の類型とその表現効果」『国語学研究と資料』28　国語学研究と資料の会　pp.48-60

安部達雄（2006）「漫才における「フリ」「ボケ」「ツッコミ」のダイナミズム」『早稲田大学大学院文学研究科紀要　第3分冊』pp.69-79

石黒圭（2008）『日本語の文章理解過程における予測の型と機能』ひつじ書房

小泉保（1997）『ジョークとレトリックの語用論』大修館書店

陳　臻渝（2007）「日本語会話における前置き表現」『言語文化学研究　言語情報編』2　大阪府立大学　pp.99-115

水野敬也・小林昌平・山本周嗣（2003）『ウケる技術』オーエス出版

編著者
石黒圭　　国立国語研究所教授、一橋大学連携教授、専門は読解教育・作文教育。(2部1課、2部4課、4部1課担当)

著者
安部達雄　　一橋大学非常勤講師、専門は笑いのレトリック。(1部3課、3部5課、4部5課担当)
新城直樹　　琉球大学講師、専門は比喩研究、方言研究。(1部2課、3部2課担当)
有田佳代子　新潟大学准教授、専門は日本語教授法史。(1部5課、2部5課担当)
植松容子　　昭和女子大学専任講師、専門は日本語教育文法。(2部2課、2部3課、4部3課担当)
渋谷実希　　東京大学非常勤講師、専門は日本語教授法。(1部1課、4部2課、4部4課担当)
志村ゆかり　一橋大学非常勤講師、専門は年少者の日本語教育。(3部3課、3部4課担当)
筒井千絵　　元フェリス女学院大学専任講師、専門は接触場面の会話分析。(1部4課、3部1課担当)

本文イラスト
内山大助

装丁・本文デザイン
岡本健＋阿部太一［岡本健＋］

カバーイラスト
カモ

会話の授業を楽しくする
コミュニケーションのためのクラス活動40

2011年10月5日　初版第1刷発行
2020年8月20日　第7刷発行

編著者	石黒圭
著　者	安部達雄　新城直樹　有田佳代子　植松容子 渋谷実希　志村ゆかり　筒井千絵
発行者	藤嵜政子
発　行	株式会社　スリーエーネットワーク 〒102-0083　東京都千代田区麹町3丁目4番 　　　　　　トラスティ麹町ビル2F 電話　営業　03 (5275) 2722 　　　編集　03 (5275) 2725 https://www.3anet.co.jp/
印　刷	倉敷印刷株式会社

ISBN978-4-88319-580-0　C0081
落丁・乱丁本はお取替えいたします。
本書の全部または一部を無断で複写複製（コピー）することは著作権法上での例外を除き、禁じられています。